Colères

Professeur Rollin

Colères

Stock

Tous les dessins reproduits dans ce livre
sont l'œuvre de JY.

Couverture Atelier Didier Thimonier
Photo auteur : © Julien Falsimagne

ISBN 978-2-234-08029-4

Avant-propos

C'est en 1994 (plus de vingt ans, déjà !) que j'ai écrit *Colères*, sous-titré « On ne peut pas rire de tout et de n'importe quoi », avec mon ami et complice Joël Dragutin, auteur, metteur en scène, acteur, et directeur du Théâtre 95 à Cergy, devenu depuis lors Scène conventionnée aux écritures contemporaines. Nous poursuivions alors un double objectif : permettre au comédien que je m'efforce d'être d'explorer le registre théâtral de la colère et montrer l'enfermement d'un personnage dépourvu d'humour et ennemi du rire. Après sa création au Théâtre 95, *Colères* a été joué à Paris, en 1995 et 1996, au théâtre Grévin puis au Café de la Gare. J'y ai quasiment perdu ma chemise, à la fois à cause des grandes grèves nationales et des attentats terroristes, et parce qu'une partie de la critique, prenant, ou feignant de prendre, le spectacle au premier degré, l'a éreinté. De guerre lasse, j'ai remis mes chansons dans ma guitare, comme chantait Brassens, et je suis passé à autre chose. Mais le spectacle avait été capté (par TF1 Vidéo, étrangement), et il a commencé de circuler sous le manteau en cassettes VHS (!) ainsi que sur l'internet naissant, de sorte que, dix ans plus tard, j'ai découvert avec bonheur et stupéfaction qu'une cohorte de fans s'était constituée, qui ne jurait que par *Colères*, en connaissait par cœur chaque réplique, et réclamait son retour sur scène. « À la demande générale », comme je l'ai écrit avec ironie, j'ai accepté de remonter ce spectacle, à L'Olympia, le 5 mars 2005 si ma mémoire est bonne. Les fans étaient au rendez-vous, le spectacle était devenu « culte », disait-on, et il a connu à partir de là une très belle carrière, qui n'est, du reste, pas officiellement terminée. J'ai la faiblesse de penser que cette diatribe contre les grincheux avait un temps d'avance, et suis fier d'avoir tenu le choc jusqu'à la résurrection. Le malentendu de départ n'est pas si rare : bien souvent, au théâtre, lorsque l'on endosse l'habit du méchant ou de l'idiot, pour mieux le camper et le dénoncer, on se heurte à l'incompréhension de la fraction non avertie du public (au premier rang duquel, bien souvent, ... la critique) qui, en dépit du B.A.-BA de la convention théâtrale, vous prend pour le méchant ou pour l'idiot. Mais ces débuts rugueux ne sont plus qu'un mauvais souvenir, et j'ai toujours plaisir à jouer ce texte truffé de nœuds et tiroirs secrets pour une prestation très exigeante physiquement mais dont la palette est d'une richesse jubilatoire.

Et c'est quelques années plus tôt, en 1988, qu'est né le personnage du Professeur Rollin, inventé pour l'émission *Palace* à l'instigation pressante de Jean-Michel Ribes, que je ne remercierai jamais assez d'avoir allumé cette mèche. Ce Professeur farfelu, sympathique mélange de ses homologues Tournesol et Choron, a cheminé dans *Palace* bien sûr, puis à la radio, à la télévision, en cassettes-vidéos (décidément !), et enfin sur les planches, dans une première conférence philosophique et loufoque intitulée « Le Professeur Rollin a toujours quelque chose à dire ». J'aurais eu plaisir à joindre à ce petit livre le texte de ce premier spectacle du Professeur, mais mon metteur en scène d'alors, toujours Jean-Michel Ribes, au théâtre du Rond-Point, avait comme à son habitude sollicité, en contrepartie d'une programmation dans son théâtre, une partie des droits d'auteur. Ribes est donc copropriétaire de ce texte et, bizarrement, il m'en veut depuis que, en 2004, il a tenté de vendre à son seul profit le concept de *Palace* à la MAAF. Trois des coauteurs de *Palace* ayant réclamé leur dû, Jean-Marie Gourio, Jean-Luc Trotignon et moi-même, le fautif a bien été obligé de s'incliner et de s'amender, et il ne m'a jamais pardonné l'affront.

Mais rangeons cela aussi au rayon des mauvais souvenirs, car voici le retour du Professeur, écrit cette fois avec Joël Dragutin et Vincent Dedienne, et mis en scène par ce dernier. La genèse en est amusante : je bouillais depuis quelque temps de m'en prendre à la bien-pensance dont je déplorais, et déplore encore, la progression régulière. Mais comment le faire au théâtre sans infliger au public une indigeste leçon, magistrale dans le plus glaçant sens du mot ? C'est mon confrère Jean-Noël Fenwick qui cette fois a produit le déclic : « Tu as la chance, m'a-t-il dit au cours d'un déjeuner, d'avoir un fidèle complice, le Professeur Rollin, passé maître dans l'art d'osciller du vrai au faux et du grave au loufoque. Convoque-le une nouvelle fois ! » Ce que je fis, avec joie. Car ce personnage un peu lunaire du Professeur (professeur de quoi diable ?) allait me permettre de sortir l'humoriste, que je m'efforce aussi d'être, du carcan si consensuel de la franche poilade ou de la langue de bois démagogique des chansonniers qui tirent sur tout ce qui bouge, et plus encore sur ce qui ne bouge pas. Le Professeur se rebiffe contre ceux qui voudraient le cantonner à l'accouchement de sa femme, à ses problèmes de banque ou de téléphonie, ou, au mieux, à la petite taille de Sarkozy... et pour gagner le droit de parler, un peu, de la société et de son temps ; de faire son job d'humoriste, en somme.

Colères

Entrée par une porte dérobée proche de
la scène, une grande housse sur l'épaule

Bon… Mesdames, messieurs, pas de panique, je ne vais pas vous déranger longtemps, j'en ai pour deux minutes grand maximum… Je me présente : je m'appelle Jacques Martineau, j'interviens ici en tant que président de l'association française de sauvegarde… Alors voilà : vous êtes tous venus là avec vos bonnes mines réjouies pour assister à un spectacle comique, ou soi-disant comique, vous allez donc rire pendant une heure et demie, puisque vous êtes venus pour ça, vous avez même payé pour ça ! Rassurez-vous : je n'ai pas l'intention de vous en empêcher, je vais vous laisser rire en compagnie de ce comique professionnel, que je ne connais pas personnellement, et que je ne tiens pas du tout à connaître, d'ailleurs... Mais dont je peux vous dire qu'il est sûrement lui-même grassement payé pour vous faire rire, je vais donc vous laisser tous autant que vous êtes à votre petite partie de rigolade, je tenais juste à vous dire une petite chose avant que ça commence, c'est qu'en ce qui me concerne, je désapprouve totalement ce genre de spectacle, je ne suis pas d'accord. C'est mon droit le plus strict ! De votre côté, vous avez le droit d'assister aux spectacles que vous voulez, de mon côté, j'ai le droit de ne pas être d'accord. Ou alors s'il y a quelqu'un ici qui a l'intention de me contester ce droit, je lui conseille de s'en aller maintenant, parce qu'on va aller au clash très vite. Bien.

Alors pourquoi je ne suis pas d'accord ? Il faut se demander pourquoi. Les gens refusent toujours de se poser la question : « Pourquoi ? » Il n'y a pas longtemps, je voyais un adolescent qui était en train de casser une cabine téléphonique publique, il la cassait, vraiment, avec une batte de base-ball, et bling, et bling... et les gens autour le regardaient faire... en riant, au lieu de se demander pourquoi. Pourquoi est-ce que cet adolescent casse un téléphone public ? Et d'abord, pourquoi un téléphone public ? Déjà qu'il y en a de moins en moins, malheureusement… Non, parce qu'il pourrait aussi bien casser son scooter, cet adolescent. Mais non, ce n'est pas son scooter qu'il casse, c'est un téléphone public. Alors pourquoi ? Et puis ce téléphone public, il pourrait le laver avec une éponge, le repeindre, mais non, ce n'est pas ça qu'il fait, il le casse. Alors pourquoi, nom d'un chien ? Voilà un adolescent qui pourrait tranquillement repeindre son scooter, et qui au lieu de ça casse un téléphone public. Ce sont deux choses très différentes. Ou alors si quelqu'un ici pense que c'est la même chose, je préfère qu'il s'en aille tout de suite, parce je sens qu'on ne va pas arriver à s'entendre, avec ce genre d'état d'esprit tordu.

Alors, pourquoi fait-il ça, cet adolescent ? Il ne le fait pas par hasard. Il me dit quelque chose, en le faisant, il m'adresse un message, qui me dit : « Je ne suis pas d'accord, je ne me sens pas bien dans cette société, c'est pourquoi je suis en train de commettre un acte répréhensible, je me place de moi-même hors la loi, afin que la société m'inflige une sanction. » Voilà le message. C'est ça qu'il voudrait dire, mais comme il n'a pas les mots pour le dire, il utilise un symbole, probablement sans savoir lui-même que ça s'appelle un symbole, un symbole dont la traduction est : « Monsieur, alertez je vous prie le commissariat, faites intervenir les représentants de l'ordre, afin que je sois condamné à une sanction exemplaire. » Et d'ailleurs il va l'obtenir, cette sanction : il va passer un certain temps en garde à vue, puis en prison, et puis très logiquement il va perdre son emploi, il va perdre ses amis, il finira un jour ou l'autre par aller crever d'une overdose sur un terrain vague à Argenteuil… C'est ça qu'il me demande ! De mon côté, je n'ai pas le choix, je n'ai pas à me prononcer sur son geste ! Non, simplement, cet adolescent a une « demande », et moi j'y apporte une « réponse ». Je pense que vous comprenez mieux maintenant l'importance de la question « pourquoi ? ».

Au comique en coulisses

C'est pas la peine de faire des grands gestes, je sais que vous êtes là ; j'ai dit que j'en avais pour deux minutes, alors ne soyez pas hystérique...

Au public

Parce que j'aurais aussi bien pu passer à côté de cet adolescent sans rien comprendre, comme la plupart des gens, comme vous, comme tous ceux qui refusent de voir les symboles... Mais moi j'ai compris ce garçon, et je suis allé satisfaire sa demande. La meilleure preuve d'ailleurs que ma réponse le satisfait c'est qu'à partir de ce moment-là, il ne va plus casser de téléphones publics. Sinon, il aurait pu en casser encore vingt-cinq avant que quelqu'un s'intéresse enfin à sa demande symbolique. Mais là, grâce à moi, je le dis en toute modestie, je n'ai rien à prouver...

Grâce à moi, dès la première cabine cassée, il a sa réponse, sans qu'il ait besoin de se fatiguer à en casser deux cent cinquante. S'il en trouve deux cent cinquante, vu qu'il y en a de moins en moins, malheureusement. Alors il y a un père de famille qui a un accident de voiture dans le quartier, il est gravement blessé, son gosse aussi, un gosse de quatre ans qui perd son sang à l'arrière de la voiture, le père cherche péniblement son portable dans la poche de sa veste : il l'a oublié au bureau ! Il se rappelle qu'il a offert un portable à son gamin, il prend le portable du gamin, il essuie un peu le sang et les morceaux de boyaux : cet imbécile a oublié de recharger sa batterie ! C'était bien le jour, bravo ! Le père se souvient qu'il reste une cabine au coin de la rue, il se traîne jusque-là pour appeler les secours : il n'y a plus de cabine, il n'y a plus qu'un petit tas de ferraille et de verre pilé... Le gars rampe encore, malgré ses blessures, jusqu'à une autre cabine, très loin, on s'en doute, vu qu'il y en a de moins en moins, malheureusement : même petit tas de ferraille et de verre pilé... Et pendant ce temps-là, il y a le gosse qui se vide de son sang sur la banquette arrière, on entend ses hurlements d'agonie qui déchirent la nuit, il crie : « Papa, je t'en supplie, papa, téléphone, vite ! »

Mais ça, les gens refusent de voir les symboles, c'est trop subtil... Ça les paralyse, ça les dérange. Alors que c'est formidable, les symboles, parce que c'est universel, il n'y a pas de barrière de la langue, même un Chinois peut les comprendre. Si vous cassez une cabine téléphonique, même un Chinois comprendra que vous n'êtes pas d'accord ! Essayez : allez donc place Tian'anmen casser une cabine téléphonique – là-bas, il y en a encore, heureusement –, vous verrez à quelle vitesse les Chinois vont comprendre que vous n'êtes pas d'accord.

En l'occurrence, pourquoi je ne suis pas d'accord ? Eh oui, c'était la question de départ, j'ai l'impression que tout le monde s'est un peu empressé de l'oublier. Je ne suis pas d'accord, parce que je considère qu'aujourd'hui, notre société traverse une crise gravissime, tout le monde se fout de tout, c'est le n'importe quoi permanent, on ne sait plus qui fait quoi ni pourquoi il le fait, bref, le monde marche à l'envers, et moi, par-dessus le marché, j'aurais dû en principe vous dire ça dans la bonne humeur, en rigolant, puisqu'il est de bon ton aujourd'hui de rire de tout – plus ça va mal, plus il faudrait en rire, je ne vois pas bien la logique là-dedans, mais c'est comme ça – parce qu'en plus, si on en croit ces messieurs les comiques professionnels, on se ferait mieux comprendre par le rire que par l'intelligence et le bon sens. Donc, si j'ai bien compris, le monde marche à l'envers, tout va mal, et il faudrait annoncer ça dans la légèreté, la bonne humeur, dans une sorte de fou rire nerveux.

Ce n'est pas rien, pourtant, un monde à l'envers. Un monde à l'envers, c'est un monde où un type courageux sauve un gosse de la noyade, un gosse de quatre ans, et où ce n'est pas à ce type courageux qu'on donne la médaille, mais au salopard qui a poussé le gosse dans l'eau. S'il y a du comique là-dedans, je vous avoue que ça m'échappe un petit peu. Ou alors, c'est un monde où vous prétendez être assis sur un cheval alors qu'en fait vous êtes assis sur un manche à balai avec au bout une tête de cheval en contreplaqué. Alors on dira que c'est un symbole mais, à ce niveau-là, c'est plus du symbole, c'est de la connerie.

Et c'est ce genre de connerie que vous êtes venus voir ce soir. Je pense que vous comprenez mieux maintenant pourquoi j'ai été obligé d'intervenir, quitte à retarder de quelques secondes, ce n'est quand même pas la mer à boire, votre petite partie de rigolade. Oh, et puis maintenant, ceux qui n'ont toujours pas compris, tant pis pour eux, ils sont ce que j'appelle indécrottables, ils ne m'intéressent

pas, je leur demande de s'en aller maintenant.
Je vous laisse réfléchir.

Il va boire dans le verre du comique

J'ai le droit de boire, non ?

Donc, le monde marche à l'envers, et pour
être dans le coup, il faudrait rigoler en le
disant. Eh bien, désolé de vous décevoir, mais
moi, je n'ai pas le cœur à en rire. Ayant vécu
ce que j'ai vécu, je n'ai pas envie de rire. Je
m'excuse, mais c'est comme ça.

Déjà, il faut que vous sachiez qu'à l'âge
de huit ans, j'ai vu un éléphant manger mon
goûter. Je vous raconte ça, ce n'est pas que
j'aie besoin de vous le raconter, je n'en suis
pas encore à raconter ma vie à des inconnus,
simplement c'est pour que vous compreniez
bien le pourquoi.

Je suis donc en cours moyen première année
à l'école Marcel Lebard...

Au comique en coulisses

Quoi, « c'est reparti » ? Mais vous êtes un
obsessionnel, mon vieux ! Vous allez avoir
une heure et demie pour leur parler, moi je

demande deux minutes… Et puis vous avez la télé toute l'année… En plus, vous êtes payé, moi je ne gagne pas un sou pour dire ce que je dis, alors à la fin, foutez-moi la paix… Foutez-nous la paix… Invraisemblable.

Je suis donc en cours moyen première année à l'école Marcel Lebard et, cette année-là, l'instituteur avait décidé, pour récompenser les bons élèves, dont j'étais – il se trouve que j'en étais, je m'excuse, c'est peut-être pas à la mode, mais c'est comme ça – avait décidé, donc, de nous emmener passer une journée au zoo de Vincennes. Et nous, évidemment, on se faisait une fête de cette perspective, ça faisait un mois qu'on y pensait, je me rappelle même qu'on chantait dans le car en y allant, même le chauffeur chantait, je me rappelle même que ça nous avait étonnés, on s'était dit : « Tiens, il chante, ce vieux bonhomme »… Il chantait avec les gosses : « Chauffeur, chauffeur, si t'es champion, appuie sur le champignon »… Mais il n'appuyait pas pour autant.

Et alors, pour ce grand jour, ma mère m'avait préparé un petit goûter, avec du pain, du beurre, du chocolat, et de la citronnade dans une gourde, le tout dans un petit sac de sport, rayé façon écossais, avec une petite ficelle double. C'est important, un goûter, quand on a huit ans. C'est toute l'affection de la mère qui est là-dedans, moi c'était toute ma famille qui était dans ce petit sac. Et alors je regardais l'éléphant, comme ça, tranquillement, et puis à un moment donné, par inadvertance, j'ai laissé tomber mon sac sur la plate-bande de gazon. En une seconde, l'éléphant l'a attrapé avec sa trompe, et il a tout bouffé : le pain, le beurre, le chocolat, la gourde, le sac. Tout !

Il a juste recraché le bouchon de la gourde. Un bouchon jaune. Crénelé. Avec une petite languette. Non, c'est pire, parce que si encore il n'avait pas recraché le bouchon, moi j'aurais pu croire, dans ma naïveté d'enfant, que mon sac s'était envolé, dans un coup de vent, que ma famille s'était élevée vers le ciel, mais non, il a recraché le bouchon, l'autre gros con. Et après il a dit : « Merci » avec ses oreilles. « Oh regarde comme c'est amusant, a dit l'instituteur, le voilà qui dit merci avec ses grandes oreilles. » Gros con.

Ah ça vous fait rire ? Vous vous souvenez, le 11 septembre 2001 ? Ça vous dit quelque chose ? À 8 heures, il faisait beau sur l'Amérique, tout le monde allait bosser en sifflotant, les cadres sup pelotaient les secrétaires dans les ascenseurs – tu penses, quatre-vingt-cinq étages, t'as le temps de t'amuser – au-dessus de New York, le ciel était dégagé, les pilotes plaisantaient avec les mecs des tours de contrôle qui disaient : « Combien on parie que je baise ta femme pendant que t'es à Los Angeles »... enfin en anglais : « *How much you bet that I fuck your wife...* » Bref, tout allait pour le mieux.

Et puis une heure plus tard : l'horreur, la désolation, les cadavres, les ruines, les larmes, des centaines de corps mutilés aux visages carbonisés, méconnaissables, des enfants innocents déchiquetés, en quatre, cinq... quinze morceaux... Eh bien voilà. C'est exactement ça que j'ai ressenti quand l'éléphant a recraché le bouchon.

Ça vit très vieux, un éléphant.

Alors bien sûr, par la suite, j'ai cherché à me venger. À l'âge de vingt ans, je suis retourné sur place. Je l'ai reconnu tout de suite, en entrant dans le zoo : toujours aussi balourd, prétentieux... mais j'ai bien vu que je ne faisais pas le poids, même avec douze ans de plus. Et j'ai compris que je ne ferai jamais le poids.

Alors aujourd'hui, il m'arrive encore parfois d'aller rôder du côté de Vincennes, je
cherche une solution pour me guérir de ça.
Je tourne autour du zoo, pendant des heures,
mais je n'ose pas entrer. Ça a de la mémoire,
ces machins-là, il va me reconnaître tout de
suite, il va me démolir, tu penses !

Non, ce qui me ferait du bien, c'est d'aller
lui bouffer son goûter sous son nez. Seulement, d'un autre côté, manger quatre cents
kilos de foin, c'est plus une punition pour
moi que pour lui, et puis ça ne se fait pas
comme ça, il faut de l'entraînement. Même
très motivé, ce qui est mon cas. Alors pour
compenser, une fois de temps en temps, chez
moi, l'après-midi, je m'assois à ma table de
cuisine, et je mange une bonne demi-livre de
fourrage. Ça me fait progresser. Pas très vite,
mais je progresse.

Voilà : je pense que vous comprenez mieux
maintenant pourquoi je ne suis pas spécialement porté sur le rire.

Combien de fois ! Combien de fois je me
suis retrouvé dans les bras d'une fille, incapable de lui faire l'amour parce que je revoyais
le bouchon jaune plein de bave ? Combien de

fois ? Pas très souvent, en réalité, parce que je n'ai pas insisté longtemps. Tu parles, si c'est pour revoir toute la nuit le bouchon jaune qui lui sort de la bouche, avec la petite languette, et puis qui descend, au bout d'un long filet de bave blanchâtre, qui roule sur le gazon, et puis l'autre gros con, il s'en fout ! Lui, ça l'intéresse plus, il a mangé ma famille, maintenant il est content, il est en train de voir s'il ne peut pas récupérer une cacahuète de l'autre côté, et puis le bouchon qui est là, au milieu du gazon... Tu parles d'une nuit d'amour, non merci !

Ou alors, il faut que je lui explique, à la fille. Que je la fasse asseoir, tranquillement, et que je lui raconte l'histoire du zoo. Mais à ce moment-là il faudra bien, par honnêteté, que je lui raconte aussi l'histoire de la demi-livre de fourrage, et du coup, c'est elle qui risque de ne plus avoir très envie. À moins... à moins qu'elle-même se soit fait manger son goûter par un éléphant, étant gosse. Mais ça... il faudrait un fameux coup de bol, pour tomber justement sur celle-là. Il faut être réaliste, on n'est pas trente-six mille sur la terre à s'être fait bouffer notre goûter par un éléphant. Tiens, ce soir, il y en a parmi vous ? Non, tu penses. Celui qui a vécu un truc comme ça, il n'a pas le cœur d'aller perdre son temps au théâtre à écouter des conneries.

Enfin bon, on ne va pas larmoyer là-dessus pendant des heures, c'est fait c'est fait, et puis j'en suis quand même sorti. En tout cas je finirai bien par en sortir, il va pas l'emporter en paradis, mon goûter, l'autre gros tas de merde. Il va bien lui arriver un pépin, un jour ou l'autre, il va bien prendre un bloc de béton sur la gueule ou un coup de bazooka dans les couilles pour bien dégager le bas-ventre et décorer le rocher tout autour. Enfin bon, je ne me plains pas, je m'en tire pas mal, parce que quand on a vécu un truc comme ça, il faut une sacrée force morale pour rester équilibré et serein. La plupart des gens, à ma place, ils auraient été foutre des bombes dans le zoo, quitte à faire des dizaines de victimes innocentes, et ça, en toute impunité, évidemment, parce que quel tribunal aurait le culot de me condamner dans ces conditions ? Ou alors si, à une peine symbolique, à une peine d'intérêt général, comme par exemple de repeindre les grilles du zoo. Et encore, je serai bien gentil si j'accepte de le faire, parce que, qu'est-ce que j'en ai à foutre, entre nous, de repeindre des grilles de zoo, surtout un zoo où des animaux incontrôlés viennent bouffer le goûter des gosses ? Et puis quoi encore ? Au nom de quoi je serais là à m'agiter comme un minable avec mon petit pinceau pourri, un demi pot de peinture à moitié sèche et un escabeau branlant, avec une ribambelle de gosses autour en train de se foutre de ma gueule ? Au nom de quoi ? Il ne faut pas s'étonner après si le type pose calmement son petit pinceau pourrave, plie son escabeau branlant, et va chercher un beau fusil à pompe pour dégommer le président du tribunal qui l'aura condamné. Il l'aura bien cherché, honnêtement. « Bonjour, monsieur le président, c'est moi le peintre. Allez beum, je vais t'en donner de la grille à repeindre ! » D'une certaine façon, on n'aura fait que répondre à sa demande.

Mais bon. S'il n'y avait eu que ça. Mais comme quoi le monde est vraiment déglingué. Cinq ans plus tard, à l'âge de treize ans, je découvre une histoire que je n'hésite pas à appeler « L'histoire du train de la honte », et qui fait qu'aujourd'hui encore, on essaye probablement de m'éliminer. Physiquement. Et en attendant, je me suis quand même fait gifler par un cinglé à la préfecture de Limoges.

En deux mots : tout le monde se souvient que le 16 janvier 1943, à Saint-Yrieix-la-Perche, près de Limoges, la résistance a fait sauter un convoi nazi, et le type qui a posé la dynamite a été décoré, pour faits de guerre. Seulement ce qu'on ne vous a pas dit, c'est que, en réalité, c'est mon grand-père qui était résistant, mais secrètement, par commodité personnelle... c'est mon grand-père qui a emmené le type dans sa propre voiture, une traction avant, sur le lieu de l'attentat, parce qu'il connaissait parfaitement le secteur, vu qu'il allait tout le temps aux champignons dans le coin. Et ça, personne ne l'a jamais dit. Ça fait un choc, hein ?

Alors bien sûr, le gars qui a posé la dynamite, il a été déclaré héros de la résistance ; à la Libération, il a été élu maire et conseiller général de son patelin, dans tout le département il y a des rues qui portent son nom, au point qu'on s'y perd, des rues Marcel Lebard, il y en a une tous les cinquante mètres, les gens se perdent. Et mon grand-père, qui pourtant avait pris le même risque, il en avait bavé pour arriver sur place, à conduire de nuit, tous feux éteints, sur des petits chemins de forêt sinueux, avec la traction avant qui avait un grand rayon de braquage, alors il fallait négocier chaque virage en faisant un petit écart, et pas de direction assistée. C'est-à-dire que sans mon grand-père, il n'y aurait pas eu d'attentat, parce qu'on va dire : « Le gars aurait pu y aller à pied », c'est sûr ! Simplement au lieu de mettre dix minutes, il aurait mis trois heures, et pendant ce temps-là, le convoi nazi, il est déjà à Berlin, et les Allemands en train de boire des bonnes bières avec les shorts bavarois et les bretzels à volonté. Eh bien mon grand-père, non seulement il n'a pas été décoré, mais en plus il a fallu qu'il soit humilié le lendemain de l'attentat. Parce qu'il avait bien nettoyé les traces de boue sur sa traction pour ne pas éveiller les soupçons des Allemands... et le maire du village, en voyant la voiture impeccable, s'est permis de lui dire devant tout le monde : « Avec des gars comme vous qui passent leur temps à briquer une bagnole qui ne sort jamais du garage, les boches peuvent dormir bien tranquilles. » Le maire qui, de son côté, trafiquait des jambonneaux avec la Gestapo. Et mon grand-père ne pouvait rien répondre, sinon il aurait grillé tout le réseau. Et il a fini sa vie dans l'anonymat, à Mortagne-au-Perche. Vous vous rendez compte ?

Évidemment, à treize ans, j'ai été frappé de plein fouet par cette histoire, et j'ai voulu m'en ouvrir, autour de moi, au lycée, à mes camarades, mes professeurs. J'en ai parlé à mon professeur d'histoire, un très brave homme que j'aimais énormément, Marcel Molinier, – voyez je me rappelle son nom – et il m'a dit : « Mon pauvre lapin, si tu savais comme tout le monde s'en branle, de ton histoire de grand-père... » Ce jour-là, j'ai compris que j'allais devoir me battre seul. Alors j'ai attendu d'avoir dix-huit ans, et là, j'ai entrepris le combat pour obtenir la réhabilitation de mon grand-père, à titre posthume, entre parenthèses, puisque entre-temps il était mort à Mortagne, dans l'indifférence générale, mais bon, passons, il paraît que c'est un détail.

J'ai commencé par écrire un certain nombre de lettres au ministère des Anciens Combattants, pour leur expliquer l'affaire. Et c'est à la quarante-deuxième lettre qu'ils ont quand même fini par répondre : « Cette affaire date de cinquante ans, il n'y a aucun élément de preuve, on ne peut pas faire grand-chose, prrrttt »… Ils n'écrivaient pas prrrttt, mais c'était le sens. Et ils se permettaient de conclure avec une formule du style : « Tout cela est-il aussi important que vous avez l'air de le penser ? » Ça commençait déjà à sentir le complot à plein nez, cette histoire-là.

Je n'ai pas lâché prise, évidemment, et au bout de sept ans, je suis « enfin » reçu par un haut fonctionnaire de la préfecture de Limoges. Et je tombe sur une espèce de jeune technocrate prétentieux, qui me reçoit avec tout un déballage de salamalecs mielleux, qui m'offre du café, que je refuse, évidemment, je n'avais pas attendu sept ans pour boire un Nescafé avec une tarlouze de préfecture, et puis dans la suite de l'entretien, il me propose de décerner à mon grand-père une médaille à titre posthume. Je lui explique gentiment que je ne demande pas une médaille en chocolat mais une réhabilitation. Une heure plus tard, il me propose, tenez-vous bien, de me verser une pension de guerre, de 813 F par mois. Ce qui correspond, je le dis pour les plus jeunes d'entre vous, à environ 124,10 €. J'ai dit : « Mais pourquoi ça une pension ?

Et pourquoi 813 F ? D'où sort ce chiffre ?
Pourquoi pas 1,20 F, ou 6 500 F ? Et puis,
comme si c'était une question d'argent. On
n'est pas des mendiants, dans la famille Martineau… » Et là, à court d'arguments, il me
propose de faire établir un certificat officiel,
attestant l'héroïsme patati et patata… Je lui ai
dit : « Vous êtes bouché, mon pauvre ami, ce
n'est pas un bout de papelard, que je veux,
c'est une réhabilitation, morale, de principe. »

À partir de là, la discussion a commencé
à tourner au vinaigre, parce qu'il me répétait
constamment : « Mais où sont les preuves ?
Où sont les preuves ? » Je lui disais : « Un
peu de bon sens ! Évidemment qu'il n'y a pas
de preuves, mon grand-père n'allait pas faire
une photo au départ et une photo à l'arrivée, sous le nez des Allemands. » Alors là, il
m'a dit : « Calmez-vous »… C'était son mot,
ça, « calmez-vous », j'étais très calme, mais
il me disait : « Calmez-vous », pour m'éner-
ver. Il me disait : « Le ministre vient ici dans
quinze jours, pour inaugurer un monument
aux morts, ça tombe bien, je vais lui en parler,
au ministre, je m'en occupe personnellement. »
« Oh, j'ai dit, halte-là. Je vous vois venir. Si

c'est pour faire votre pub sur mon dos, non merci. » Parce que, évidemment, il avait flairé le gros coup, il s'était dit ça va être bon pour mon avancement. Je le voyais déjà se pavaner à la une des journaux locaux en disant : « C'est moi qui ai réhabilité le grand-père Martineau. » Je lui ai dit : « Stop, ne croyez pas que vous allez me déposséder en deux minutes d'un combat que je mène depuis vingt ans. » C'est vrai, il n'a qu'à réhabiliter son grand-père à lui, s'il a envie de se faire mousser. Ce n'est tout de même pas ma faute si son grand-père était collabo, je le lui ai dit d'ailleurs. Je lui ai dit : « C'est une honte. Je viens humblement vous demander votre soutien, et je tombe sur une espèce d'arriviste sans scrupules qui voudrait s'approprier mon grand-père sous prétexte que le sien était collabo. »

Eh bien savez-vous ce qu'il a fait ? Il s'est levé d'un bond, il s'est rué sur moi, et il m'a giflé, à trois reprises, en indiquant la sortie avec son index tremblant, et en hurlant : « Ne remettez jamais les pieds ici !!! »

Comme quoi ça confirmait bien que j'avais levé un gros lièvre, parce que, pour qu'un fonctionnaire de ce niveau en vienne à prendre le risque de la violence physique, qui est une faute professionnelle grave, c'est bien que l'affaire n'est pas aussi insignifiante qu'il voulait bien le dire. C'est qu'elle dérange beaucoup de monde. Il a compris que ça allait faire bouger du gros poisson, il a paniqué, il a perdu son sang-froid.

Moi, évidemment, ça n'a fait que renforcer ma détermination, j'ai fait un procès à l'administration, qui est en cours, d'ailleurs, et je peux vous dire que c'est pas de la petite bière, parce que je vois comment dans mon entourage tout le monde est vert de trouille à l'idée de ce qui pourrait apparaître derrière tout ça, même mon propre avocat, qui me répète constamment : « Laisse tomber, ça vaut pas le coup. » Ils sont tous terrorisés.

Mais je ne vais pas lâcher le morceau ! Parce que c'est toujours le même je-m'en-foutisme, qui est à l'origine de tous les problèmes. Pour le 11 septembre, il y a sûrement un gars qui est allé voir le directeur de la CIA, qui lui a dit : « Il se prépare quelque chose de très grave », et l'autre a répondu : « Laisse tomber, ça vaut pas le coup »… enfin en anglais : « *Let it down, it does not vaut le coup.* » Il a dit :

« Non, mais on parle de gens qui prennent des cours de pilotage, sur des avions civils, et qui viseraient des cibles urbaines de grande hauteur »… Et l'autre lui a répondu : « *I tell you it does not vaut le coup. Now, if you insist, I tell you you make me chier* »…

Au zoo de Vincennes, si ça se trouve, il y a un gardien un peu moins lâche que les autres qui avait averti le directeur du zoo, depuis longtemps, il avait dit : « Attention, monsieur le directeur, il y a, dans l'enclos 26, un éléphant qui, à mon avis, risque de manger des choses qu'il ne devrait pas manger… », et l'autre lui avait répondu : « C'est pas vrai, Georges, vous allez pas nous resservir votre histoire d'éléphant… Il n'y a pas de preuves, alors prenez un Lexomil, mon vieux, et allez vous coucher ! » À Tchernobyl, il y a sûrement un modeste ouvrier qui est allé voir le directeur de la Centrale, pour lui dire : « Excusez-moi de vous déranger pendant votre repas, il me semble avoir détecté une petite fissure dans le cœur du r… », et en guise de réponse il s'est fait jeter dehors du bureau avec une claque dans la gueule : « Je vais t'en donner, moi, des fissures, tu vas voir comme je vais te

fissurer le trou de balle… » C'est les mêmes.
Et il faudrait en rire ? Non merci.

Il n'y a pas longtemps, je racontais à
quelqu'un cette histoire de mon grand-père,
et à la fin il me dit : « Elle est formidable,
votre histoire, il faudrait vraiment en faire un
sketch ! » Eh bien, la claque de la préfecture,
il l'a prise dans la gueule… Puisque ça le fait
tellement rigoler. Un sketch ? C'est la dicta-
ture du rire, il faudrait mettre du rire partout.

Parce qu'on nous dit : « Le rire est le propre
de l'homme », mais c'est une ânerie, il y a des
tas de choses qui sont nettement plus le propre
de l'homme que le rire, ne serait-ce que…
tiens : la conquête de l'espace. C'est beaucoup
plus le propre de l'homme. Citez-moi *un* animal qui a entrepris la conquête de l'espace !
Le lapin ? Le renard ? On est d'accord.

On nous dit aussi : « Il faut mettre les
rieurs de son côté. » Mais moi je n'en veux
pas, des rieurs, de mon côté. Quand on a une
revendication à faire valoir, les rieurs, c'est un
boulet plus qu'autre chose. Imaginez qu'on
aille manifester sous les fenêtres du ministère
des Finances pour réclamer une baisse des
impôts… S'il y a cinq mille gars en colère

dans la rue, ça a de l'impact, mais s'il y a cinq mille rieurs de mon côté, cinq mille abrutis en train de se bidonner, où est l'impact ? Le ministre va se mettre à la fenêtre, il va voir une bande de cons en train de rigoler, il va se dire : « Tout va bien, ils sont contents », et non seulement, il ne va pas baisser leurs impôts, mais il va même les augmenter puisqu'ils ont fait volontairement le déplacement pour venir rigoler sous sa fenêtre !

Pour vous dire jusqu'où va l'absurdité dans ce domaine... Ce sont les fameux fous rires d'enterrement. Ce n'est d'ailleurs pas par hasard que ça s'appelle un fou rire. C'est qu'il faut être fou pour rire dans une circonstance pareille. Le type enterre son meilleur ami, il a devant lui la veuve effondrée, trois orphelins en larmes, et lui, il rigole !

Évidemment, les comiques professionnels répondent : « Non, en fait, c'est une question de regard ; le comique est partout, il suffit de savoir regarder. » Sous-entendu, eux, ils savent regarder, et nous, on a de la merde dans les yeux. Écoutez... Je prends l'ascenseur, par exemple, il paraît que c'est une source de gags formidable, ils le disent tous. J'appelle l'ascenseur, il arrive, la porte s'ouvre… Soyez de bonne foi… Je la regarde s'ouvrir… C'est là que je dois rire ? J'appuie sur le bouton du sixième, l'ascenseur démarre, il arrive au sixième, la porte s'ouvre, je sors de l'ascenseur, la porte se referme, c'est là que c'est drôle ? Avec la meilleure volonté du monde…

Et si l'ascenseur se bloque entre deux étages, ce n'est pas plus comique pour autant. Je vais paumer deux heures là-dedans, je vais m'époumoner pour appeler du secours, et ce n'est pas un rieur qui va me dépanner avec sa caisse à outils. Tout ça, probablement parce qu'un gamin de quatre ans est allé tripatouiller des boutons, comme s'il n'y avait pas des jeux plus intéressants. Il y a un cardiaque qui est coincé dans l'ascenseur, il en meurt, c'est drôle ?

Non, le comique n'est pas partout, et heureusement. Moi j'adore le comique. Je suis le premier à rire. Mais pas n'importe où, pas n'importe quand, et pas pour n'importe quoi.

Tiens. Le 14 Juillet, au bal populaire, sous les lampions, je suis le premier à monter sur la table, comme quoi je ne suis pas un triste. C'est la fête nationale, oui, c'est le moment de rire. Mais pas un 11 Novembre. Quand on a envie de se souvenir de ceux qui ont payé de leur vie notre liberté. Il ne faut pas tout mélanger. Écoutez, il se trouve par extraordinaire que j'ai apporté avec moi un tableau, qui résume très bien tout ça, parce que depuis un moment, j'ai l'impression de parler chinois…

Il va chercher sa grande housse, qu'il avait laissée au pied de la scène, et veut installer le premier tableau sur la chaise ; il est gêné par le chapeau. Il s'adresse au comique

Eh, le comique, votre chapeau ! Oh oh ! Ton chapeau ! Manifestement, il est parti. Oh, mais ne vous inquiétez pas pour lui. À l'heure qu'il est, il est tranquillement dans la suite royale de son palace cinq étoiles, en train de recompter la recette, et de siffler des magnums de champagne en compagnie d'une pute de luxe payée par le théâtre…

Revenant au tableau

Voyez, je vous ai fait deux colonnes : une colonne « Rire », et une colonne « Ne pas Rire ». Bien. Voyez, ici. « Rire » : le 14 Juillet.

Sous les lampions, avec l'accordéon musette, très bien. Et puis le feu d'artifice, avec les fameuses blagues de feux d'artifice, il y en a un qui dit : « Oh la belle rouge », et puis l'autre il se cache un peu pour dire : « Non non, elle est bleue ! »… ou elle est jaune. Là, bien sûr, rire.

Un repas de noces, avec ce moment irrésistible où la mariée vend sa jarretière aux enchères, et toute la famille qui chante : « Ah Léon, Léon, roi de Bayonne, roi de Bayonne »… Très bien. On peut rire. Roi de Bayonne, roi des couillons.

Au cirque avec les clowns. Le clown avec son nez rouge, ses chaussures beaucoup trop grandes, le chapeau pointu et les cymbales. Boum, il s'est cogné. Il ne s'est pas fait mal, il a fait semblant. Rire. Évidemment, pour petits et grands.

Le jour de l'an, quand on s'embrasse sous la boule de gui qui est punaisée au plafond, en se disant : « À l'année prochaine », alors qu'on se revoit dans cinq minutes… C'est l'occasion de rire.

Au bal des pompiers, avec leurs casques qui brillent. Le pompier qui fait danser la mamie, qui a bu un peu trop de champagne, il la porte trop haut, il y a les jambes de la mamie qui se balancent dans le vide. Rire, évidemment !

Le 1er avril, avec les fameux poissons d'avril, vous connaissez ça bien sûr ? Non, vous ne connaissez pas ? C'est très connu, pourtant. Voilà comment ça se passe, c'est vraiment très marrant. Alors le 1er avril, on découpe avec des ciseaux dans une feuille de papier un morceau en forme de poisson, pas de poisson pané, de poisson vivant, et on l'accroche dans le dos d'un ami. Alors pensez, le directeur d'une grosse boîte qui se balade toute la journée avec un poisson accroché dans le dos, et le soir, en rentrant chez lui, sa femme lui dit : « Je crois qu'on t'a fait une farce. » Très autoritaire, il dit : « Non, je ne crois pas. » Elle lui dit : « Si, si, tu as pensé qu'on est le 1er avril ? » Il enlève sa veste, et il comprend qu'il a passé toute la journée avec un poisson accroché dans le dos. Qu'est-ce qu'il va faire ? Il va en rire, bien sûr, et sa femme aussi, et ses gosses aussi, s'il a des gosses… Et s'ils sont là.

Inversement, ne pas rire : le 11 Novembre, où on a envie d'un peu de recueillement en souvenir de ceux qui ont versé leur sang pour notre liberté.

Un enterrement, avec la veuve et les trois orphelins en larmes.

À la préfecture de Limoges, il n'y a pas lieu de rire.

Un gosse qui se noie, un gosse de quatre ans. Lui porter secours, et non pas rire en disant : « Alors, Coco, elle est bonne ? »

Une manifestation au ministère, où on a besoin de gens en colère, pas de crétins en train de rigoler.

Un drame au zoo. Bon...

Voyez, dans la colonne « Rire », je n'ai pas mis l'histoire de mon grand-père. Ce n'est pas par hasard. Ce n'est pas parce que je n'avais pas la place, j'aurais très bien pu la mettre entre le bal des pompiers et le 1er avril, à condition de faire des caractères un peu plus petits. Ce n'est pas par hasard, c'est simplement parce que, dans cette histoire, il n'y a pas matière à rire. Et celui qui vient me dire qu'il faut en faire un sketch, eh ben, il s'en prend une, et d'une certaine manière on peut dire qu'il l'a demandée. On n'a fait que répondre à sa demande.

Vous savez, j'ai l'air un peu soupe au lait, mais je suis quelqu'un de très simple, tout ce qui m'intéresse, dans la vie, c'est de pouvoir aller tranquillement aux champignons : il me semble que ce n'est pas le bout du monde !

Attendez. Quand je parle d'aller aux champignons, je ne parle pas d'y aller en pleine saison, quand il a bien plu, dans un coin où on sait qu'il y en a. Quand c'est gagné d'avance, ça ne m'intéresse pas. Avec la horde des gros ploucs qui vont remplir leur coffre de champignons, des centaines de bagnoles au milieu de la forêt, les gosses qui crient, les papiers gras, les cannettes de bière... Très peu pour moi.

Par contre, un peu hors saison, quand il a fait très sec, dans un coin qui n'est pas spécialement réputé pour être champignonneux, ça a une autre allure, ça, ça m'intéresse. Parce que, dans ces conditions-là, la seule chose qu'on risque, finalement, c'est d'en trouver quand même. Et là...

Parce que, imaginez qu'une fois en plein de mois de janvier, je trouve ne serait-ce qu'une demie girolle. Je ne sais pas comment, mais imaginez. Là, quel exemple, pour la jeunesse, quel exemple, de voir quelqu'un, comme ça, qui fait reculer les frontières de l'impossible. Vous pouvez ricaner, mais ce n'est pas d'hier, tout ça. Quand Christophe Colomb a embarqué, ça ricanait bien, sur le quai, ça se tapait sur les cuisses. On disait : « Où va-t-il, l'imbécile ? » Et puis vous connaissez la suite, le retour, triomphal.

Parce que, moi, je n'annoncerai pas la couleur comme un gamin. Je m'arrangerai pour revenir au village par une route en surplomb, pour qu'on me voie arriver de bien loin. Je ne brandirai pas la demie girolle, non ! Elle sera tranquillement dans le fond de mon panier, visage impassible, je prendrai tout mon temps... Tous les rigolards d'en bas me verront arriver, ils commenceront à se foutre de ma gueule, comme d'habitude. « V'là encore l'autre abruti qui revient des champignons, avec son panier vide. » « Marcel, viens voir l'autre con qui revient avec son éternel panier vide, c'est pathétique, allez, on lui fait un petit comité d'accueil, en chantant. Viens André, allez on chante. Ah le gros con, avec son panier vide... » Moi je prendrai tout mon temps, je ne me presserai pas, je les laisserai bien s'amuser, si la route est en lacets, tant mieux, et puis quand j'arriverai sur la place Marcel Lebard, et qu'ils seront tous là autour de moi à se foutre de ma gueule, là, ils la verront, la demie girolle. J'aime mieux vous dire qu'ils vont changer de tête.

Et ils auront bonne mine, pendant ce temps-là, tous les autres, avec leurs pleines brouettes de cèpes en pleine saison des cèpes, et puis quoi ? Ils vont être là tout contents avec leurs dix kilos de cèpes, ils vont inviter une dizaine de vieux copains, ils vont se faire une grosse omelette aux cèpes, ils vont déboucher une bonne bouteille de bordeaux, et puis ? Ils vont parler que de ça tout le repas, ils vont se gargariser en se disant : « On est des grands amoureux de la nature », ils vont s'en foutre plein la lampe. Si ça se trouve, il y a deux, trois copines qui vont les rejoindre, et puis ?

Il ne faut pas qu'ils s'étonnent après, ces gens-là, si leurs enfants se droguent ! Alors que celui dont le père a rapporté une demie girolle en janvier, vous pouvez toujours lui tendre une seringue, il ne la voit même pas. Au lycée, ses copains lui disent : « Mais c'est incroyable, tu ne bois pas, tu ne fumes pas, tu ne te drogues pas, comment fais-tu pour être protégé comme ça ? » Et le gamin leur répond : « Moi, mon père a rapporté une demie girolle en janvier, alors vos conneries… »

Mais les autres, là, à sa vautrer dans cette espèce de convivialité bidon, avec leur grosse omelette baveuse, avec le feu qui crépite joyeusement dans la cheminée, et puis deux, trois putes du village voisin... Mais si, c'est des putes, c'est même pire que des putes, elles ne vont pas coucher pour de l'argent, elles vont coucher pour une omelette baveuse...

Ça aussi, il faut avoir le courage de le dire, il y a toujours un problème avec les bonnes femmes. Elles ne savent pas ce qu'elles veulent, c'est n'importe quoi. Écoutez. Récemment, je vais dans une boîte de nuit, pour y faire ce qu'on appelle vulgairement une rencontre. J'ai horreur des boîtes de nuit, mais c'est là qu'on fait les rencontres. Paraît-il.

Je vais donc dans cette boîte de nuit, je vois une jeune femme qui me semble disponible. Je m'approche d'elle, je lui dis : « Bonsoir, mademoiselle », il paraît que c'est ringard, mais moi j'y tiens beaucoup, et je lui demande tout simplement : « Est-ce que nous pouvons nous rencontrer ? » Et puis, comme elle n'avait pas l'air de comprendre la question, je lui explique, très calmement, que je ne suis pas le genre de dragueur professionnel qui prend les femmes pour des poupées gonflables. Et je lui propose au contraire que nous fassions plus ample connaissance, pendant deux ou trois jours, pour que, si la mayonnaise prend bien, comme on dit, nous puissions, dans une dizaine de jours, passer à une nouvelle étape. Je ne sais pas ce que j'avais dit de si drôle, toujours est-il qu'elle s'est mise à rigoler, et elle est partie, sans un mot d'explication.

Là-dessus, je vois un ami, Thierry, qui est plus ou moins psychologue de je ne sais quoi, de mes deux, qui me dit : « C'est parce que tu t'y prends mal ; avec les femmes, il faut éviter tout ce bla-bla ringard. Il faut être beaucoup plus direct, quasiment animal. Il y a cette dimension-là aussi… »

Animal ! Bon. Donc le samedi suivant, je retourne dans cette boîte, je revois la même fille, à peu près à la même place, d'ailleurs, je m'approche d'elle, je ne lui dis pas bonsoir, puisque c'est ringard, et je lui dis simplement, en la regardant droit dans les yeux et assez fort pour couvrir le bruit de la sono : « Allonge-toi sur la table, écarte les cuisses, je vais te baiser comme une chienne. » Il me semble qu'on peut difficilement être plus animal. Eh bien vous savez comment elle a réagi ? Ça ne m'a pas surpris, d'ailleurs… Elle est partie, exactement comme la fois d'avant. Sauf qu'en plus, elle m'a giflé, elle est allée se plaindre au patron, je me suis fait virer manu militari, et maintenant je passe pour un obsédé sexuel dans tout le quartier. Alors ça, qu'est-ce que vous voulez, c'est des trucs à se saouler la gueule, à rentrer chez soi à 4 heures du matin bourré comme un cochon en pataugeant dans son vomi, avec les bas de pantalon pleins d'un mélange de whisky et de vieux spaghettis. Comme quoi, il y a bien un problème avec les bonnes femmes, je ne l'invente pas.

C'est pareil. J'avais une relation, avec une amie de longue date, une fille formidable, ça marchait bien entre nous, on avait une belle complicité, on aimait bien évoquer des souvenirs d'enfance. Notamment parce qu'elle-même avait été punie étant gosse par les bonnes sœurs au pensionnat, une histoire épouvantable. Tout ça parce qu'elle avait pris sa petite camarade par la main, pour la consoler, comme le font toutes les petites filles innocentes. Et alors les bonnes sœurs avaient imaginé je ne sais pas quoi, elles l'avaient traitée de tous les noms, elles l'avaient fouettée, jusqu'au sang, attachée à un arbre, elles avaient mis, je crois, des larves de mouche dans ses plaies, qu'elles avaient tassé avec des vieux crucifix rouillés, elles avaient voulu forcer le jardinier du couvent à l'enculer, le pauvre vieux n'y arrivait pas, alors ça durait des heures et des heures, la mère supérieure remontait sa jupe pour exciter le jardinier, qui ne bandait pas, qui avait quand même fini par lui pisser dessus pour faire plaisir. Enfin, une histoire sordide. Je vous avoue que quand elle me racontait ça, j'écoutais à moitié, j'étais au bord de dégueuler – d'autant qu'il y avait eu un raffinement, parce que la gosse avait un hamster auquel elle tenait beaucoup, qu'elle appelait Bibi, vous savez, les gosses en carence affective, ils s'attachent à un petit animal, et les bonnes sœurs lui avaient tué son hamster sous ses yeux à coups de godasses. Elles avaient obligé la gosse à le sortir de la cage, à le poser par terre, à lui dire adieu, la gamine de quatre ans, des larmes plein les yeux, avait dit : « Adieu, mon Bibi », sur l'air de : « Je crois en toi, mon Dieu », et les bonnes sœurs l'avaient aplati, comme ça, en chantant des chants nazis. Moche. Je ne sais même plus si après, elles n'avaient pas obligé la gosse à rassembler les morceaux du hamster, pour reconstituer un hamster, ce qui était infaisable, alors comme la gamine n'y arrivait pas, elles lui avaient réinjecté le tout dans le trou de balle avec une pipette. Moche, comme histoire.

Enfin bref, ça allait bien, avec cette fille, on s'entendait bien, on commençait même à faire des projets, et puis un jour, elle organise un goûter d'anniversaire, et au moment d'apporter le gâteau, elle se prend les pieds dans le tapis : paf, le gâteau par terre. Inconsommable, foutu. Et à ce moment-là, quelle est sa réaction ? Elle éclate de rire ! Je lui dis : « T'as complètement perdu les pédales, ma pauvre Évelyne. » Et elle me répond : « Oh, c'est parti comme ça… » J'ai dit : « Non, la réaction convenable n'est pas de rire, c'est de dire : "Je suis désolée, c'était un beau gâteau, qui avait coûté assez cher, on se réjouissait de le manger, je suis navrée de ma maladresse." Il n'y a pas lieu de rire. » Elle m'a dit : « Il faut savoir rire de nos malheurs. » Bon, ben, on s'est engueulés, on ne se voit plus.

Qu'est-ce que vous voulez, il y a des gens comme ça qui sont dans une logique de l'échec, ils s'excluent d'eux-mêmes, vous voulez leur donner de l'amour, ils n'en veulent pas, qu'est-ce que vous voulez faire contre ça ?

Oh, et puis de toute façon, on se prend bien la tête avec les filles, mais franchement, trouver une copine, et puis quoi ? La draguer, coucher avec, et alors ? Pour se marier un an plus tard, vivre une petite idylle bourgeoise avec deux gosses bien peignés qu'on va promener au zoo le dimanche ? Une fois par mois aller bouffer chez les beaux-parents, toujours la même terrine de foies de volaille au gingembre – « C'est une recette que j'ai rapportée de Saint-André-de-Cubzac, où un vieux fermier... », on le saura, mamie, et puis on s'en branle, d'où elle vient, ta recette, ce qui est important, c'est qu'elle me donne la chiasse, cette terrine – mener cette petite vie ringarde, chaque année fêter l'anniversaire de mariage, à la même date, fatalement, lui offrir un collier de perles en se demandant s'il faut prendre des vraies ou des fausses. Les vraies, c'est la peau des fesses ! Alors des fausses. Il y a des imitations formidables, on ne voit pas la différence à l'œil nu. Mais bon, pour peu qu'un jour elle aille se lier d'amitié avec un joaillier qui aura l'idée saugrenue de lui expertiser son collier pour se rendre intéressant, alors là, c'est le drame. « C'étaient des fausses perles, tu m'as roulée dans la farine », et puis le ton monte, les insultes, le divorce, le procès interminable, il va falloir encore que je me batte pendant deux ans, il va falloir que je retourne à la préfecture de Limoges, où je suis interdit de séjour entre parenthèses, sans compter les conséquences sur les gosses, qui vont aller crever d'une overdose dans les chiottes d'un bistrot de pédés, coup de fil du commissariat au milieu de la nuit : « On a retrouvé votre fils mort d'overdose – Oh c'est pas vrai ! Mais où ça ? – Eh ben dans les chiottes d'un bistrot de pédés, voulez-vous qu'on vous communique l'adresse ? Non ? Alors bonne nuit, monsieur »… Ça vaut pas le coup, très peu pour moi. Rentrer dans ce genre de spirale infernale, ça ne m'intéresse pas.

Et puis avoir un gosse, si c'est pour en avoir un comme certains que je connais ! J'ai des amis, Thierry et Patricia, le psychologue dont je vous ai parlé, peu importe. Un jour, ils m'invitent à bouffer. Déjà, à 8 h 30 du soir, le gosse est à table. À 8 h 30 ! Je ne dis rien. Au bout de cinq minutes, ce gosse prend mon verre de vin, et il commence à le verser dans mon assiette, sciemment, en me regardant bien droit dans les yeux avec un petit air insolent. Ses parents lui font une observation, et le gosse se met à geindre, en disant : « Mais je ne savais pas, parce que, une fois à la plage, j'ai renversé mon seau dans le sable et papa m'a dit : "C'est très bien, Julien, tu as trouvé un bon jeu"… » Alors les parents commencent à lui expliquer, longuement, en disant : « Mon petit Julien, il y a un distinguo que tu oublies de faire entre deux entités très différentes. D'une part la plage de Mimizan, et d'autre part l'assiette de notre ami. » Comme s'il ne le savait pas. Le gamin en profite, il dit : « Oui, mais moi, j'avais cru que c'était bien de faire couler le liquide quel que soit le liquide… », et je le voyais qui faisait ce geste-là sous la table. Et les parents qui commencent à le consoler. Au bout d'un moment, j'ai craqué, j'ai dit : « Arrêtez les frais, vous ne voyez pas que ce gosse vous prend pour des cons, et ça fait une demi-heure que ça dure ! » La claque dans la gueule, c'est moi qui lui ai mise ! Enfin ! Comme si à quatre ans, il ne voyait pas la différence entre une plage de sable fin et mon assiette de gigot flageolets !

Il faut pas s'étonner si, dix ans plus tard, ce gamin, il s'amuse à casser les téléphones publics ou à rayer les bagnoles, comme le petit délinquant qui a gravé sur le capot de ma bagnole, que j'avais laissée à la gare d'Argenteuil, qui a gravé « Sale con ». Gravé ! Parce que si encore ça avait été simplement écrit avec le doigt dans la poussière, ce n'est pas méchant, j'aurais rien dit, moi-même, il m'est arrivé de le faire, c'est plutôt drôle ! On écrit : « C'est sale », et puis le gars va au lavage, et c'est propre. Mais là, gravé, avec une clé ou un silex, gravé ! Et encore, ce n'est pas tellement que ce soit gravé, ce qui me choque, surtout, c'est que le délinquant qui a gravé ça, il ne me connaît pas, je ne connais personne à Argenteuil. Comment peut-il me traiter de sale con ? C'est totalement incohérent !

On va me dire, ça doit être un jeune d'Argenteuil qui vit mal la banlieue, il se sent victime d'une injustice sociale, alors il a exprimé sa révolte en commettant une dégradation symbolique – voyez, toujours les symboles, on y revient – sur un objet qui, à ses yeux, représente l'oppression. Ma voiture, c'est l'oppression. Va comprendre. Je ne vois pas ce que cette voiture a d'oppressant, je pourrais vous la montrer, mais on n'en est plus là. De toute façon cette hypothèse ne tient pas debout, parce que, à ce moment-là, il n'aurait pas gravé « Sale con », il aurait gravé « Je vis un malaise dans ma banlieue », ou bien « Nous voulons des équipements collectifs à Argenteuil », enfin, quelque chose de concret ! Et à ce moment-là, toujours pareil, moi, j'aurais compris le message, je me serais ouvert au dialogue. Qui sait, j'aurais peut-être entrepris une démarche, à titre personnel, auprès du maire d'Argenteuil, pour plaider sa cause, je lui aurais dit : « Monsieur le maire, il y a dans votre commune… » Ou pas. Parce que je ne suis pas obligé non plus de répondre à toutes les injonctions, je ne suis pas Zorro ! Et puis, si je me mobilisais chaque fois qu'on grave quelque chose sur ma bagnole, je retrouverais une inscription tous les jours, parce qu'ils auraient vite compris le coup, les petits malins, ma voiture deviendrait le dazibao de toutes les misères de la terre, un jour, sur la portière gauche, « le Mali crève de faim », le lendemain, sur la portière droite, « Sauvez l'Irak ». On n'en finit pas !

Et on me dit une nouvelle fois : « Mieux vaut en rire. » Pour quoi faire ? Parce que le rire est un exutoire, paraît-il. Sauf que moi, la facture de 1 450 €, je l'ai toujours là. Il n'y a rien qui est sorti. Et le garagiste, le carrossier… le connard, à qui je confie la réparation, en découvrant l'inscription « Sale con », il s'est mis à rigoler. Alors si ce type là rit devant une dégradation volontaire au silex d'un bien privé, qu'est-ce qu'il fait quand il va au cirque, par exemple, voir les clowns, avec le nez rouge, le chapeau pointu, les grandes chaussures, et les cymbales, boum, il s'est cogné ? Il pleure ? Si ce n'est pas le monde à l'envers, ça !

Alors que tout ça aurait pu être évité si le délinquant en question, à quatre ans, on lui avait appris le respect des adultes, au lieu de l'entraîner méthodiquement à se foutre de leur gueule. Si, ils les entraînent ! On m'a parlé de camps d'entraînement, où des édu-cateurs payés par l'État entraînent les gosses à se foutre de la gueule des adultes, ils leur apprennent les trois gestes clés et si le gamin ne veut pas le faire, le quatrième geste, c'est une baffe dans la figure.

Alors après ça, le respect des autres... Tiens : en juillet dernier, j'ai voulu prendre quelque temps de repos, pour écrire l'histoire de mon grand-père. Moi je n'y tenais pas spécialement, mais bon, tout le monde me l'avait conseillé. Des amis qui me disaient : « Cette histoire que tu nous racontes tout le temps, le moment est peut-être venu de l'écrire... »

Bon, donc je décide de m'aérer un peu pour y travailler, je décide de partir avec des copains, c'est plus sympa, en principe. Ils avaient trouvé une jolie baraque, dans la région de Limoges, comme par hasard. Le troisième jour, j'étais tranquillement assis sur un fauteuil de jardin, en train de réfléchir à mon grand-père, et puis il y a Thierry, celui de Patricia, justement, le psychologue, qui vient me voir, et qui me dit en rigolant plus ou moins : « Tiens, comme apparemment t'as rien à faire, tu ne voudrais pas aller acheter des tomates, parce qu'on fait une ratatouille pour midi et Jean-Marie a oublié d'acheter des tomates. » Je lui ai dit : « Excuse-moi, Thierry, je ne vois pas ce qui te permet de dire que je n'ai rien à faire, il me semble que je suis quand même le mieux placé pour savoir si j'ai ou non quelque chose à faire, en l'occurrence, je réfléchis à mon grand-père, et puis surtout, qui c'est qui a décidé qu'on allait manger une ratatouille ? J'ai pas demandé de ratatouille, moi. » Il me dit : « Pourquoi ? Tu n'aimes pas la ratatouille ? » J'ai dit : « La question n'est pas de savoir si j'aime ou si je n'aime pas la ratatouille, la question est qu'on ne m'a pas consulté pour savoir si j'avais envie de manger une ratatouille. » Il me dit : « Dans la mesure où tu manges avec nous depuis le début, on pensait que… » J'ai dit : « Ben tu pensais de travers, c'est tout. C'est pas parce que j'ai mangé avec vous jusqu'ici que je suis obligé de manger avec vous à tous les repas au garde-à-vous ! C'est la caserne, alors ? » Il me dit : « Non, ce n'est pas la caserne, mais ça nous rendrait service si tu pouvais faire juste un saut à l'épicerie. » J'ai dit : « Écoute, d'abord, juste un saut, ça veut rien dire, j'y vais ou j'y vais pas, je ne fais pas "juste un saut", comme tu dis si bien, et puis surtout c'est pas à moi de réparer les oublis des autres. Quand on décide unilatéralement de faire une ratatouille, on s'arrange au moins pour avoir tous les ingrédients pour la faire. Moi, je m'excuse, si je décide de faire un bœuf aux carottes, je n'oublie pas les carottes. » Il me dit : « Ne parle pas de bœuf aux carottes, tu n'as jamais mis les pieds dans la cuisine. » J'ai dit : « Attends, je n'ai jamais mis les pieds dans la cuisine… jusqu'à aujourd'hui ! Rien ne te dit que je ne vais pas les y mettre demain. » Et là il se croit très malin de me dire : « Bon alors entendu, demain, bœuf aux carottes. » J'ai dit : « Où il va, lui ? Tu vas me donner des ordres, maintenant ? Je suis quand même en vacances, jusqu'à preuve du contraire. » Il me dit d'un ton autoritaire : « Allez, ne discute pas pendant cent sept ans, parce que ça va fermer. » Je lui ai dit : « Écoute, Thierry, un, c'est pas moi qui décide les horaires de fermeture des magasins dans ce maudit patelin, deux, tu me parles sur un autre ton, et puis trois, tu vois, depuis le temps que t'es là à me harceler, t'aurais eu dix fois le temps d'aller les chercher toi-même, tes tomates. » C'est vrai. Je suis en vacances, j'ai un roman historique à écrire, si je passe mon temps à faire la boniche pour toute la baraque, il n'est pas écrit, mon roman… Il commence à m'agresser, il me dit :

« La vérité, c'est que tu ne sais pas vivre en communauté. » J'ai dit : « Écoute, Thierry, j'ai été pensionnaire au lycée Marcel Lebard pendant sept ans, alors s'il te plaît, c'est pas toi qui vas me donner des leçons de communauté, et puis maintenant tu me fatigues, alors pour avoir la paix, je vais aller te les chercher, tes tomates, comme ça on aura une bonne ratatouille, qu'on va tous bien manger entre bons copains, moi j'ai un roman historique qui est foutu, mais ça tout le monde s'en balance, ça ne va pas leur couper l'appétit, alors elle est où, cette épicerie minable, qu'on en finisse ? »

Et là, tout fanfaron, il me dit : « Tu vois, tu vois ! Tu ne sais même pas où est l'épicerie. – D'accord, les gars, si je comprends bien, quand on part en vacances avec vous, il faut apprendre par cœur, le plan cadastral, la carte Michelin et l'annuaire du coin ? » Et là il me sort son argument massue, il me dit : « T'es de mauvaise foi. » « Je suis de mauvaise foi ? Ça c'est la meilleure. J'accepte gentiment d'aller chercher des tomates dont je n'ai rien à foutre, je sacrifie un roman historique pour une ratatouille que vous avez décidée contre moi, et à part ça je suis de mauvaise foi ? Bon, dans ces conditions, c'est très simple, ma mauvaise foi, je vais la mettre dans ma valise, que je vais faire dès ce soir, et puis je vais aller passer mon malheureux mois de vacances à manger ce que j'ai envie de manger quand j'ai envie de le manger, merci les gars, la part de loyer, que j'ai payée d'avance, j'ai l'élégance de ne pas en parler, et je vous dis bonne ratatouille, merci pour tout, vous cherchiez le conflit, vous l'avez, ciao, et bon appétit. »

Non mais, je vous prends à témoins. Je vous rappelle d'où on est partis, j'étais tranquillement assis en train de réfléchir à mon grand-père, j'emmerdais personne. Résultat : ils m'ont fusillé mon mois de vacances, ils m'ont foutu en l'air mon roman, et je suis dedans de 330 €. À part ça, je suis de mauvaise foi. Qu'est-ce que vous dites de ça ?

Merci pour votre solidarité, surtout ne me soutenez pas, moi à ce compte-là, je me barre.

Il fait mine de s'en aller, et écrase le chapeau au passage

Je ne suis pas venu pour me faire insulter par une bande de dégonflés...

Parce que bien sûr, dans un cas comme ça, vous allez me dire : « T'as pas eu de chance, t'es tombé sur une bande d'emmerdeurs, sur une bande de boy-scouts fascisants… mais il y a quand même des choses plus graves que ça. » Mais non, justement, il n'y a pas des choses plus graves que ça ! La télévision passe son temps à nous parler du Pakistan ou de la Colombie… mais c'est ici que ça se passe ! Quand je vois que dans mon immeuble, il y a des gens qui continuent, malgré la pancarte, qui est affichée en évidence, de laisser la porte d'en bas ouverte après 22 h 30, ne me dites pas que ces gens-là vont pouvoir sauver des enfants au Pérou, alors qu'ils ne sont pas capables de fermer une porte dans l'intérêt de la collectivité. Celui qui n'a pas le respect de ses voisins, comment peut-il aller sauver un gosse au Pérou ? Il n'en a rien à foutre, en fait. C'est un peu facile. C'est affiché, en évidence : « Veuillez s'il vous plaît fermer la porte après 22 h 30. D'avance, merci. » En plus, c'est demandé poliment : il n'en tient pas compte, alors au Pérou, où il n'y a pas de pancartes : « Veuillez s'il vous plaît sauver les enfants de la misère. D'avance, merci », il n'y a aucune pancarte comme ça au Pérou, vous pouvez chercher, allez-y, cherchez, il n'y en a pas, j'y suis allé, j'ai passé trois semaines de vacances là-bas, je n'ai pas vu une seule pancarte comme ça, pas en français en tout cas. Alors maintenant, s'il faut parler espagnol pour faire de l'action humanitaire, leurs gosses, ils seront sauvés par des Espagnols, pas par des Français. Bon, eh bien le type qui ne lit pas les pancartes chez lui, quand il sera au Pérou soi-disant pour sauver des gosses, faites-moi confiance, il aura vite oublié. Il ira se vautrer au bord de la piscine olympique d'un palace cinq étoiles, il s'occupera de draguer la grosse cochonne qui est derrière le bar avec ses gros nichons qui pendouillent, et pendant ce temps-là, les gosses, ils pourront tomber comme des mouches sur la route de l'aéroport, il ne les verra même pas.

Eh oui : le combat, il n'est pas au bout du monde, le combat concret, il est à notre porte. Ce n'est peut-être pas héroïque, mais au moins on avance.

Alors que ceux qui se donnent des grands vertiges avec la sécheresse au Mali, ils me font bien rigoler, au bout du compte, ils ne vont rien changer du tout. Ils ne vont pas empêcher le soleil de briller au Mali, si le soleil a envie de briller au Mali, et manifestement, il a envie de briller au Mali, le soleil, c'est pas ma faute. Alors que s'ils voulaient bien se donner la peine de fermer une porte d'immeuble, au moins, ils empêcheraient, puisque la météo les intéresse, le vent de s'engouffrer dans le hall, et accessoirement les racailles de venir nous péter systématiquement les boîtes aux lettres, ça peut paraître con, mais au moins, il y aurait un effet concret.

Il y a des milliers de choses très concrètes auxquelles on peut s'attaquer dès maintenant, si on a un peu la volonté que ça change. Tiens, un exemple entre mille : moi, il y a un truc qui m'a toujours exaspéré. C'est tous ces automobilistes, et pour le coup ce n'est pas que des bonnes femmes, qui pour tourner à droite dans une rue bien assez large font un écart sur la gauche avant de prendre le virage. Je vois ça tous les jours. Ça ne sert à rien, et c'est dangereux. Ça voulait encore dire quelque chose du temps des tractions avant, qui avaient un grand rayon de braquage, il fallait se déporter un peu pour réussir certains virages, mais avec les voitures modernes, ça ne rime à rien, et c'est dangereux. Je ne sais pas où ces gens-là ont appris à conduire, je finis même par me demander s'ils ont tout simplement appris, ils doivent penser que ça fait chic, ça fait pilote de course, mais ça ne rime à rien, et c'est dangereux.

Ça, ça fait des années que ça me tape sur les nerfs. Alors on me dit, encore une fois : « Il faut avoir de l'humour. » Mais enfin, quand j'en vois un faire cette connerie devant moi, je ne vais pas m'arrêter au bord de la route et me mettre à rigoler comme un bossu sous prétexte qu'il faudrait avoir de l'humour ! Vous me voyez, assis sur le bas-côté, en train de ricaner comme un pédé, en expliquant aux gens que je rigole bien parce que j'ai vu passer un con qui conduit comme un con ?

Une fois, ça a débordé, il y a un gars devant moi qui venait de faire cette connerie... Je l'ai coursé, je l'ai rattrapé, je l'ai coincé sur le côté, je l'ai fait descendre de bagnole : il ne voyait même pas où était le problème. Il ne voyait pas ! Je lui explique, patiemment, alors que j'ai pas que ça à foutre, je lui explique que c'est dangereux, que ça avait un sens autrefois, du temps des tractions avant qui avaient un grand rayon de braquage, mais qu'avec les voitures modernes, ça ne rime à rien et c'est dangereux. Et au bout d'un moment il finit par l'admettre, et il me dit : « Je m'excuse. » Ben oui, mais non. C'est un peu facile. Alors Hitler assassine six millions de Juifs, et puis il dit : « Je m'excuse » ? C'est un peu court. Ce type-là aurait pu tuer des gosses avec sa manœuvre stupide, et il croit que l'affaire est classée à partir du moment où il dit : « Je m'excuse. » Pas d'accord. Alors je lui explique ça, et au bout d'un moment, il me dit : « Mais monsieur, si je ne peux même pas m'excuser, alors la situation est sans issue. » Je lui dis : « Eh ben voilà, c'est exactement ce que je vous reproche, c'est qu'avec vos conneries, vous nous avez mis dans une situation sans issue. »

C'est vrai ! Et je lui redisais l'autre jour au téléphone – oui, parce qu'il m'avait laissé sa carte au bout d'une heure et demie de conversation sur le bord de la route, alors je l'appelle chez lui une fois de temps en temps sur le coup de 22 h 30, pour vérifier qu'il a bien compris ;

ça ne m'amuse pas, d'ailleurs, de devoir faire le gendarme, comme ça, mais si je ne le fais pas, personne ne le fait… Donc je l'appelle, sur le coup de 22 h 30, après le film, pour ne pas le déranger outre mesure…

Alors je lui parle de choses et d'autres, forcément, pour qu'il ne me voie pas venir, et puis, à un moment, je lui demande, comme ça, l'air de rien : « Comment est-ce que vous faites par exemple en voiture pour tourner à droite ? » Il me dit : « Ben ce n'est pas difficile, je mets mon clignotant à droite, je me déporte un peu sur la gauche, pour faciliter le… » Je lui dis : « Vous êtes débile, ou quoi, je vous l'ai expliqué, que ça n'avait pas de sens. Je vous l'ai dit que ça en avait un autrefois, du temps des tractions avant, qui avaient un grand rayon de braquage, mais avec les voitures modernes, vous n'avez pas besoin de faire un écart, ça ne tourne pas mieux, et c'est dangereux. » Il me dit : « Oui, oui, ça me revient. » Je lui dis : « Ça vous revient, vous êtes bien gentil, mais faudrait voir à pas oublier toutes les cinq minutes, parce que dans pas longtemps vous allez nous tuer un gosse, et là il sera un peu tard pour dire "ça me revient" ! » Il me dit : « Comment ça, tuer un gosse ? »

71

Oh putain ! Je suis allé immédiatement chez lui, pour lui expliquer, avec mes tableaux et mes feutres, je lui ai montré, patiemment, croquis à l'appui, comment il faut tourner, à droite, à gauche… J'ai fait une feuille « virage à droite », j'ai dessiné la route d'où l'on vient, la route où l'on va, à droite par hypothèse, puisque nous sommes dans le cas de figure « virage à droite », j'ai dessiné la trajectoire de la voiture moderne, VM, et puis j'ai remis en légende VM = voiture moderne, parce que je me suis dit dans cinq minutes il va me dire « VM je me souviens plus ce que c'est », eh ben c'est là, c'est écrit en toutes lettres. Et puis j'ai dessiné la trajectoire de la traction avant, TA, avec son petit écart que j'ai rayé d'un gros trait rouge, j'ai écrit : « Pas bien », « Ne pas faire ». J'ai dit : « Maintenant on va voir le virage à gauche, c'est la même chose mais je serai plus tranquille »… Donc j'ai dessiné la route d'où l'on vient, la route où l'on va, à gauche par hypothèse, là il m'a demandé : « On peut dessiner des petits arbres sur le bord de la route pour que je comprenne mieux ? » J'ai dit : « Oui, on peut ! », comme disait mon grand-père, il ne faut pas contrarier les fous… Je lui ai dessiné ses petits arbres, et puis j'ai tracé la trajectoire de la voiture moderne, VM, celle de la traction avant que j'ai barrée de deux traits rouges... Au bout d'un moment, je me suis dit : « Je suis quand même récompensé, cette fois, il a compris », et là, il me dit : « De toute façon, vous vous donnez bien du mal pour pas grand-chose, parce que je ne fais pas un gros écart, je fais un écart de quarante centimètres, pas plus... » Je lui dis : « Enfin merde, vous êtes complètement cinglé, vous ne comprenez pas que quarante centimètres de plus ou de moins... sur une plate-bande de gazon dans un zoo, par exemple, eh bien c'est la différence entre un éléphant qui ne peut pas attraper le goûter des gosses ou alors qui peut l'attraper. C'est très précisément la différence entre une vie normale et une vie ruinée. » Et puis là, de le voir borné, comme ça, bouché à l'émeri, têtu comme une mule, j'ai un peu perdu mon sang froid, et je lui ai claqué sa gueule de con !

Il fallait bien. Non, parce que je vous sens, là, vous êtes en train de vous dire encore une fois : « Allez, c'est pas bien méchant, quand même, cette histoire de faire un écart ! » Attendez ! Qu'est-ce que vous êtes en train de me dire là ? Qu'un enfant mort, ce n'est pas méchant, c'est ça que vous êtes en train de me dire ? Vous ne voyez pas la différence entre un enfant vivant et un enfant mort ?

Vous connaissez les statistiques des accidents de la route ? Vous ne les connaissez pas ? Eh bien vous allez faire connaissance !

Il installe le tableau n° 2, un fouillis de chiffres illisibles

Là, les voilà. Il n'y a qu'à laisser parler les chiffres !

Et puis laisser parler son cœur, surtout. Parce que ne me dites pas qu'entre d'un côté un enfant vivant qui va égayer la maison, qui va avoir ses joies et ses chagrins, de temps en temps il crie un peu, mais c'est ça la vie, il est vivant. Et puis de l'autre côté, un enfant mort, qui ne bouge plus… qui ne crie plus, sa mère le secoue, « Dis-moi un mot mon Julien », mais non, il ne va rien dire, il est mort… Enfin écoutez : entre un petit Julien qui court en riant dans toute la maison, en serrant son petit ours en peluche contre son petit cœur d'enfant, et un petit tas de chair déchiqueté par un con en bagnole… Ne me dites pas que vous ne voyez pas la différence ?!!?

74

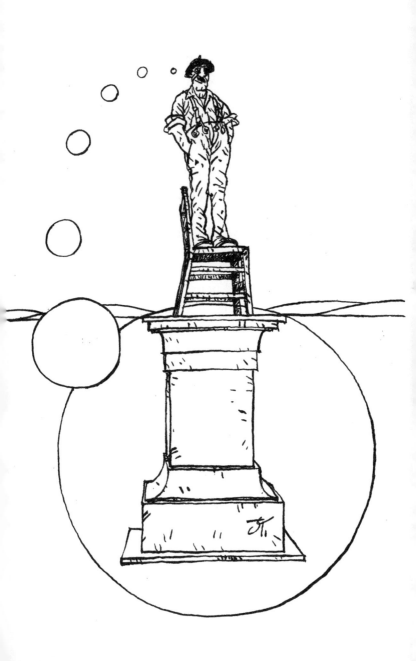

Évidemment, vous allez me dire : « Oui, mais ce type que vous harcelez, que vous frappez, il n'a pas tué d'enfant. » Non, en effet. Alors qu'est-ce qu'on fait ? Qu'est-ce qu'on fait ?? On attend tranquillement, les bras croisés, qu'il en ait tué un, pour lui montrer les statistiques ? Le type a le revolver sur la tempe du gosse, et vous, vous êtes là en train de me dire : « On ne peut rien dire, il n'a pas encore tiré. » Alors, on va attendre qu'il y ait de la cervelle de gosse qui dégouline sur les murs pour que vous consentiez enfin à dire : « Ah oui, maintenant on peut dire qu'il faut rester en ligne droite avant de tourner. »

Et ne me servez pas l'objection habituelle, je la connais par cœur : « Cette règle de la ligne droite ne tient pas debout, puisqu'elle ne s'applique pas pour les lièvres. » Non, en effet, et je suis parfaitement au courant : pour les lièvres, c'est exactement le contraire !

Eh oui, parce qu'un lièvre vivant, ça n'a pas tellement d'intérêt... Ou alors si, dans un documentaire animalier, c'est toujours mieux que ces documentaires complaisants sur les éléphants d'Afrique. On va voir son petit derrière s'éloigner dans les sous-bois entre deux touffes de champignons, mais une fois qu'on l'aura vu traverser le champ de maïs avec ses grandes oreilles dressées, dans un sens, le revoici à la tombée du jour dans l'autre sens... bon, ça va bien cinq minutes... Alors qu'un lièvre mort, c'est beaucoup plus intéressant, on peut le manger en civet. Là, en voiture, au contraire, tous les écarts sont bienvenus, pour tuer un lièvre. Faites quarante centimètres, faites-en quatre-vingt, faites dix mètres, faites quatre-vingts kilomètres d'écart si ça vous amuse, pour tuer un lièvre. Mais ne me dites pas qu'un lièvre mort et un enfant mort, c'est la même chose !

Eh ben oui, il est là, le problème concret. Ah, ce n'est pas très médiatique, c'est sûr ! La télévision s'en fout. Quelle chaîne de télé va venir faire un reportage sur les salauds qui laissent la porte d'en bas ouverte à minuit et compagnie ? Aucune. Ça n'intéresse personne. Ils me l'ont dit : « Ça n'intéresse personne ! »

Et pourtant, c'est là qu'est le problème concret. Et j'en ai marre d'entendre les phrases du genre : « Faut avoir de l'humour, voir la vie du bon côté, laisse-toi vivre un peu »... Tout ça, c'est les slogans criminels du laxisme et du n'importe quoi. Il faut être logique, à la fin.

Tout ne peut pas être matière à rigolade. Je vous ai laissé le tableau sous le nez volontairement pendant une demi-heure ! On ne peut pas rire de tout et de n'importe quoi !

Mais ça, pour les comiques professionnels, tout est bon. Même le malheur des gens. Surtout le malheur des gens. C'est scandaleux !

Moi, quand j'entends ce fameux sketch – je ne sais pas s'il est de lui ou d'un autre, peu importe – où un pauvre père de famille alcoolique sort de prison, et il a un accident de voiture très grave avec une ambulance, conduite par un Noir, et dans l'ambulance, il découvre sa propre fille qui était prostituée et qui vient de se faire avorter par un chirurgien chinois compromis dans une affaire de trafic d'organes... Vous croyez que ça me donne envie de rire ? Toute la misère du monde est là-dedans, l'alcoolisme, la prison, un Noir, la mort, tout, et il faudrait en rire ?

Ou bien ce sketch où des jeunes de quinze ans fument des joints, il y en a un qui est devant la rambarde du balcon, au 6ᵉ étage, comme ça, qui se descend une bouteille de whisky cul sec, et qui dit : « Plein de kérosène effectué. Notre décollage dans quelques instants » !!!

Il faut le dénoncer, ça, plutôt que d'en faire des sketches... Sinon, à force d'en rire, on fait l'apologie de la drogue, ni plus ni moins. Imaginez qu'il y ait des parents dans la salle dont le fils soit mort d'une overdose dans les chiottes d'un bistrot de pédés, vous croyez qu'ils vont rigoler d'un truc comme ça ? Moi je me mets à leur place, j'irais au spectacle et j'entendrais quelqu'un faire un sketch disant qu'on l'a giflé à la préfecture de Limoges... Vous croyez que ça me ferait rire ? Non, je serais indigné, c'est tout.

Regardez ces jeux à la télé, tous plus débiles les uns que les autres, comment y a-t-il des comiques assez culottés pour faire des sketches là-dessus ? C'est de la provocation. C'est faire l'apologie de la bêtise et de l'inculture ! Ce candidat à qui on demande le prénom de Zola et qui répond « Gorgon », ce n'est pas drôle, c'est triste. C'est toute la faillite du système éducatif français qu'on nous met sous les yeux, et on voudrait que j'en rie ! Et avec les sketches sur la drogue, c'est peut-être deux, trois personnes dans la salle qui vont être concernées, mais sur les jeux télés, c'est tout le monde qui est concerné ! Eh bien non seulement les gens vont rigoler en entendant ça, mais en plus ils payent pour l'entendre ! Vous payez, ne prenez pas cet air innocent, vous avez acheté vos billets, et en sortant vous allez lui acheter ses DVD, ses T-shirts, et ses porte-clefs parlants : « Gorgon Zola, Gorgon Zola »...

Imaginons qu'il y ait un jour une catastrophe dans une tour de cinquante étages à la Défense. Une inondation, par exemple... avec des morts, des gens qui vont mourir noyés dans les chiottes du gratte-ciel. Vous verrez que les comiques vont trouver le moyen de faire un sketch avec ça. Il y a des mères de famille qui vont mourir d'une mort atroce dans les chiottes d'un gratte-ciel, en voyant monter le niveau de la merde, parce qu'il faut appeler les choses par leur nom, une brave dame qui va avoir une dernière pensée pour ces enfants qu'elle a tant aimés, elle va se dire : « Est-ce que ma petite Clémentine pourra être heureuse sans sa maman ? Est-ce que mon petit Quentin pourra finir ses études de médec... » Et les comiques, au lieu de dénoncer les responsables de cette horreur, ils vont nous en faire un sketch. Et le plus fort, c'est qu'ils vont gagner des milliards, avec ça, et ils vont aller se vautrer dans le luxe, la drogue, et les putes. Avachis dans des coussins en soie de Madras à 3 600 € le coussin, entre comiques professionnels, à se refiler des langoustines et des coquilles Saint-Jacques en veux-tu en voilà, avec des gamins de quatre ans à moitié nus pour leur servir les liqueurs, des pauvres gosses poursuivis par un vieux metteur en scène roumain pédophile avec son fouet, qui dit : « Petit garçon, monsieur Piescu va te montrer quelque chose de très rigolo. »

Voilà : les stars du comique portent une responsabilité écrasante dans la débâcle généralisée. Et ne venez pas me dire : « Bah ! Ils font leur métier comme ils peuvent ; chaque métier a ses travers, finalement, c'est un métier comme un autre ! » Attendez, qu'est-ce que vous êtes en train de me dire ? Que star du comique, c'est la même chose que… cantonnier, par exemple ?

Enfin écoutez… Le cantonnier, il est sur un marteau piqueur, à longueur de journée, pour un salaire dérisoire, par − 12 °C, y a pas un champignon, c'est bruyant, c'est monotone… et puis c'est humiliant, il fait ça devant tout le monde, il y a un gars qui passe, qui lui dit :

« Alors, toujours en vacances ? » Il ne faut pas qu'il s'étonne s'il y a un coup de poing dans la gueule qui part. Et puis après, bien sûr, la dégringolade, la solitude, le chômage, les dérèglements hormonaux, la perte de sommeil, l'impuissance, la misère, les overdoses dans les chiottes des bistrots de pédés, et puis au bout de la route, la prison, et sa vieille mère qui vient le voir en prison, qui a un cancer généralisé, qui sait qu'elle va mourir avec son fils en prison, ce qui est la pire des choses pour une maman. Alors qu'on ne me dise pas que cantonnier, c'est la même chose que star du comique. J'ai un tableau qui le prouve définitivement, puisque manifestement tout le monde n'est pas convaincu.

Installation du tableau n° 3

Voyez, d'abord, au point de vue revenus, ici, le cantonnier, 1 000 € par mois, ce n'est pas beaucoup. C'est ce que le comique dépense en une matinée à Courchevel. Quand il ne sort pas du chalet. Alors que là, si on fait un calcul tout simple, trente et une représentations par mois avec huit cents personnes qui payent 35 €

chacune, vous faites la multiplication, ensuite vous enlevez les faux frais, les caviar-parties avec les Roumains à la mode... Il reste quand même bon mois mal mois 642 000 €. C'est beaucoup plus que 1 000. Quelque chose me dit que c'est à peu près 642 fois plus. Même si vous n'êtes pas familiers des chiffres, comparez la longueur respective de chacun.

Au chapitre conditions de travail : le cantonnier, – 12 °C. Ce n'est pas confortable du tout. Alors que dans les théâtres, je n'ai pas mesuré précisément, mais il fait assez doux, 19, 20 °C, par là, c'est beaucoup plus agréable.

Privilèges. Le cantonnier, on a vite fait le tour : néant. Par exemple, la possibilité de réserver deux couverts pour le soir même à la Tour d'Argent. Le cantonnier, aucun espoir. Ce n'est pas par hasard qu'il n'essaye même plus, du reste. Alors que la star du comique, aucun problème. En plus, il est invité par le patron, en général. Donc ça ne vient même pas en déduction des 642 000 €.

Et puis « prestige ». Pour le cantonnier, vous pouvez me raconter ce que vous voulez : aucun. C'est même un métier qui est choisi la plupart du temps comme l'exemple type du

métier de raté, je n'appelle pas ça prestigieux !
Ou alors si, si on imagine... que Mortagne-au-Perche est occupée par les nazis, que les troupes alliées arrivent pour libérer Mortagne, que les nazis essayent de s'enfuir en train par la forêt... et que le cantonnier a l'idée, de lui-même, de faire dérailler le train, en faisant un tas de pavés sur la voie ferrée, avec sa propre réserve de pavés... qu'il aura échangés au marché noir contre des jambonneaux. Je voudrais bien savoir d'ailleurs d'où lui viennent tous ces jambonneaux, on n'a pas six mille jambonneaux comme ça dans une cabane de forêt. Enfin on verra ça après la guerre. Donc le train nazi va buter dans le tas de pavés, parce qu'il ne va pas faire un petit écart comme ça, il va tout droit, c'est l'avantage du train. Effectivement, ça va lui conférer un certain prestige, au cantonnier... et encore, c'est pas vrai, parce que, comme par hasard, vous allez avoir une star du comique en train de ramasser des champignons dans le coin au moment du déraillement, il va en faire un sketch, et il va rafler la mise. Non, le cantonnier, aucun prestige ! Alors que la star du comique... J'ai rien mis sur le tableau, d'abord parce que je

n'avais pas la place, tellement il y a du prestige pour ces types-là, ou alors il aurait fallu que j'agrandisse la case en scotchant un morceau de papier ici, ou alors une petite planchette articulée avec de la charnière à piano, seulement elle va s'ouvrir comme ça, et d'où vous êtes on ne verra rien de plus, alors il faudrait mettre le tableau comme ça, avec le risque qu'il tombe. Ou alors, idéalement, un système de tirette dans l'épaisseur du bois. Mais après ça ne rentrera plus dans la housse… et puis surtout je me suis dit : s'il y a un cantonnier dans la salle, quand il va voir la dose de prestige, il va se lever, il va dire : « Je suis écœuré »… Oui, ils sont toujours à moitié bourrés, ces mecs-là, on comprend pourquoi maintenant ! Il va nous raconter son enfance, ses fantasmes, ses obsessions, il va nous faire perdre un temps fou, c'est pas la peine…

Donc, CQFD : les comiques gagnent des milliards, en s'amusant du malheur des gens… et même en encourageant ce malheur. Mais oui ! C'est très simple. Votre comique, quand il fait son fameux sketch où il dit : « L'alcool tue lentement. On s'en fout, on n'est pas pressés ! » ; dans la salle, tout le monde rigole. Le

jeune, qui est là, et qui entend ça, il se dit :
« C'est plutôt une valeur positive, l'alcool, ça
génère de la bonne humeur. » Et il se met à
boire, et trois mois plus tard, en sortant d'une
boîte de nuit un samedi soir, il prend le volant
bourré et il s'emplafonne dans un platane à
200 km/h. Et il meurt. Et le comique, non
seulement ça ne va pas le gêner, mais il va en
profiter pour faire un sketch sur la recrudes-
cence soudaine des accidents mortels dus à
l'alcoolisme chez les jeunes, et hop, il repasse à
la caisse, et il retourne se goinfrer de homards
et de langoustines avec sa clique de Roumains
qui poursuivent nos gamins la bite à la main !

Non, le comique, il y a des moments pour
ça, il y a des endroits mieux adaptés, et puis
surtout il y a une technique. Le vrai comique,
l'art du clown, avec son nez rouge, son chapeau, ses cymbales, et ses grandes chaussures,
qui se cogne dans un mur imaginaire ! C'est
tout un savoir-faire, ça ne s'improvise pas,
ça se travaille. Ceux qui nous disent que le
comique est dans la rue ou dans les bistrots
sont des menteurs. Moi j'y vais dans la rue,
je vais dans les bistrots, souvent. J'écoute les
gens, je les regarde... je ne vois pas le comique,

pas plus que dans les ascenseurs. Moi je vais dans un bistrot, j'entends quelqu'un qui dit : « Remettez-nous trois demis, monsieur Armand »... Bon. Où est le sketch là-dedans ? Je ne vois pas.

Parce que j'ai beau ne pas avoir d'humour, je suis encore capable de faire une analyse de texte. « Remettez-nous », il y a rien de drôle là-dedans, tu peux le retourner dans tous les sens, nous remettez, temerez nous, on n'en tire rien de plus, trois demis, à la rigueur, ça peut faire rigoler un prof de maths, parce qu'il pense à la fraction, il se dit : « Ça fait 1,5 », mais ça ne va pas le tenir toute la nuit..., et puis monsieur Armand, c'est monsieur Armand. C'est pour ça que quand j'entends : « Remettez-nous trois demis, monsieur Armand », j'ai beau me chatouiller sous les bras, ça ne me fait pas rire.

Attention : je ne dis pas qu'il ne peut pas y avoir des phrases drôles, dans les bistrots, mais il faut les vouloir, il faut les fabriquer. Si quelqu'un répond, par exemple : « Il est trop tard, madame Placard. » Attention, je ne dis pas que c'est à mourir de rire, je dis simplement que c'est beaucoup plus drôle que « Remettez-nous trois demis, monsieur

Armand. » Non ?? C'est pareil ?!?... Je vois le monsieur qui secoue la tête l'air de dire : « C'est sensiblement la même chose. » Eh bien voyons si c'est pareil.

Il sort le tableau nº 4

Eh oui, encore un tableau. Mais si vous n'étiez pas constamment en train de ricaner sur tout ce que je dis, je serais parti depuis longtemps ! Seulement il paraît que ces deux phrases, c'est la même chose... alors voyons.

Ici j'ai écrit : « Remettez-nous trois demis, monsieur Armand », et ici : « Il est trop tard, madame Placard. » Voyons d'abord au point de vue folie. Ici, pas de folie, remettez-nous, trois demis, et puis monsieur Armand, c'est monsieur Armand, aucune folie. Alors que là, oui, il y a de la folie, puisqu'il s'appelle monsieur Armand, et on l'appelle madame Placard... Si ce n'est pas de la folie... Donc 1.

Au point de vue rime, maintenant. Ici, on peut la chercher : de-mis, Ar-mand, ça ne rime pas. Zéro. Alors que là, tard, pla-card... 1.

Du point de vue des mots comiques, ici aucun mot comique. Cherchons-le, des fois qu'il y en aurait un qui aurait sauté sur le tableau le temps que je le sorte... Zéro. Alors que là, pas besoin de le chercher longtemps, c'est le mot « placard », qui évoque tout l'univers du théâtre de boulevard, avec la fameuse scène du placard avec l'amant en pyjama qui est caché dans le placard, avec un soutien-gorge qui dépasse de sa poche... « Qu'est-ce que tu fais là, Jean-Claude ? – J'allais aux champignons ! – En cette saison ?? »... 1.

Total : 0+0+0 = 0, tandis que là, 1+1+1 = 3. Ici 0, et là 3. Il y a trois d'écart, et vous me dites que c'est pareil ?!

Vous allez me dire, on n'a pas tous les jours l'occasion d'entendre : « Il est trop tard, madame Placard »... Mais il y a le comique du quotidien, le vrai, par exemple, je repense à une histoire qui m'est arrivée il y a huit ans, et qui moi me fait hurler de rire, et qui pour le coup ne fait de mal à personne, personne ne va souffrir en entendant cette histoire-là... Un beau jour, je décide d'acheter une armoire en kit, pour la mettre chez moi dans le salon. Un dimanche matin, je vais au magasin, je ne dis pas le nom du magasin pour ne pas faire de pub, j'achète mon armoire, et en rentrant chez moi, je me dis : plutôt que de la monter dans le salon, cette armoire, où je risquerais d'abîmer le tapis, je vais la monter dans l'entrée, pour être bien au large, parce que chez moi l'entrée est assez vaste. Aussitôt dit aussitôt fait, je débarque mon tas de planches, j'étale tout mon petit matériel dans l'entrée, les planches, les vis, les plans en suédois. Bref, je commence à monter mon armoire. Une heure et demie plus tard, mon armoire est montée, et je me dis : « Bravo mon pépère, t'as bien travaillé – parce que quand je bricole, je m'appelle mon pépère, un peu d'humour ne fait pas de mal – il n'y a plus qu'à la pousser à sa place dans le salon. » Alors je vais pour la pousser, et tout d'un coup : Bing ! Je me dis : « Qu'est-ce que c'est ? » J'ai senti une résistance, serais-je un héros de la résistance ? Je regarde. L'armoire était trop haute, elle ne passait pas sous la porte, j'ai dû la redémonter entièrement pour la remonter dans le salon. Ce moment extraordinaire de drôlerie, où je me dis, ça y est, j'en suis venu à bout, je la pousse, et bing : il manquait ça...

Attendez, vous ne comprenez pas ? Elle ne passait pas sous la porte ?! Là !!!

Je n'ai pas représenté la vitrine, mais quand même…

Ah, évidemment, si on a décidé de ne pas rire, si pour que ça vous fasse rire il faut que l'armoire tombe et écrase un gamin de quatre ans qui va devenir hémiplégique et qui va passer le restant de ses jours dans un fauteuil à roulettes…

Mais je vais vous dire : si lorsque c'est drôle vous ne riez pas, si par contre le malheur vous fait rire, s'il faut des gosses déchiquetés sur nos routes, des cadavres dans les chiottes des bistrots de lesbiennes ou des gens qui se noient dans les chiottes des gratte-ciel, si vous aimez le désordre et le n'importe quoi, je vais vous dire où ça nous emmène, cet état d'esprit, ça nous mène au fond du fond, à la nullité absolue, à l'imposture totale : ce fameux spectacle roumain, Zanada Piescu, que vous avez été des milliers à aller applaudir et que vous allez être encore des millions à aller applaudir. Moi je l'ai vu, c'est n'importe quoi ! En plus, c'est Thierry qui m'avait dit : « T'as l'air un peu

nerveux, va voir ça, ça va te détendre, et puis c'est un monument de beauté et d'intelligence, c'est la référence absolue. » Moi évidemment je me faisais une joie, je me rappelle même que je chantais dans ma voiture en y allant… Eh bien c'est n'importe quoi !

C'est donc une parabole historico-sociale en forme de ballet équestre, c'est écrit sur le programme, donc, ils sont une quarantaine, à cheval, déjà je n'aime pas trop les spectacles animaliers, mais là, en plus, comme ils n'ont pas pris la peine de se payer des vrais chevaux, ils sont constamment à califourchon sur une espèce de manche en bois avec une tête de cheval en contreplaqué au bout et puis une petite lanière, c'est grotesque ! Ils sont en costume d'époque ! Parce que c'est censé être une grande fresque historique sur l'histoire de la Roumanie, tu parles comme on s'en branle de l'histoire de la Roumanie, on ne la connaît même pas, donc ils peuvent raconter ce qu'ils veulent, c'est bien pareil. Et alors pour tout arranger, ils chantent… en italien ! Pourquoi ils ne chantent pas dans leur langue ? Mystère. Ça fait : « *Il bovrino palinda palindo.* »

Alors notamment, il y a un tableau, je crois que c'est censé être le couronnement de la reine – je dis « je crois », parce qu'à ce stade du spectacle, on se fiche à peu près totalement de ce que ça raconte, on a juste envie de se barrer –, ils sont alignés tous les quarante le long des rideaux, et puis le premier vient se placer vers le centre en chantant : « *Embarilla britto…* », oui, ils se trémoussent tout le temps comme ça pour imiter le mouvement du cheval, comme si on était dupes, comme si on ne voyait pas que c'est un manche à balai… Il va vers le centre, c'est long, ça n'en finit pas, il regarde le public droit dans les yeux, avec cette arrogance typiquement roumaine, qui dit « Vous vous faites chier ? Oui, oui, on est au courant, c'est même fait pour ça ! » Et puis quand enfin il est arrivé, le deuxième part à son tour… pareil : « *Zingola par bolini gerfino* », même trajet, même agitation, même regard qui dit « T'as compris où elle est passée, la subvention de douze millions d'euros ? Jette un coup d'œil sur le parking ! Ben oui, il faut bien qu'on balade nos salopes le dimanche, on va pas y aller en Laguna ! » Les gens partent par rangs entiers… et ainsi de suite, tous les

95

quarante, sans aucune variante. Si, il y a juste celui du bout qui vient en zigzag, il fait comme ça… On a envie de lui dire : « Vas-y en ligne droite, si ça peut te faire gagner ne serait-ce qu'une minute, c'est toujours ça de pris », mais lui, tout content, il continue en zigzag, il visite le théâtre, il fait ses petits écarts tranquillement. Et puis quand enfin ils sont tous en demi-cercle au centre en train de chevaucher leur manche à balai, il y a un long silence très pesant, « du pur Zanada Piescu », c'est écrit dans le programme. Après quoi ils pointent tous le doigt vers le centre en chantant « *Regali regali* »… Et à ce moment-là, par un système de trappe – parce qu'ils découpent une trappe dans le plateau, c'est aberrant, ça, parce qu'après ça se voit, on voit toujours un peu le joint de la trappe… comment voulez-vous jouer Molière avec un joint de trappe sous le nez ?… mais les Roumains ne connaissent pas Molière, donc ils s'en foutent – bref, par cette trappe monte une jeune fille, « ce doit être la reine », se disent les rares qui ne dorment pas encore, elle monte, lentement, c'est probablement un gamin de quatre ans qui pédale en dessous pour actionner le bazar… les autres cons continuent de montrer, comme ça, comme si on ne la voyait pas… il n'y a que ça à voir… et au moment où la fille arrive à peu près à cette hauteur, elle montre ses gros seins, comme ça, c'est à la rigueur le seul moment un peu intéressant du spectacle… mais ça ne dure pas longtemps, parce qu'ils se mettent à tourner en rond autour, en chantant « *Santavillo, santa borna* », bien serrés comme des pédés… alors on ne voit plus la fille, et ça dure, ça dure… ils font trois tours, on se dit ils sont calmés, mais non, ils font demi-tour et ils repartent dans l'autre sens, et puis au bout d'une éternité de ce petit manège, ils s'écartent, et qu'est-ce qu'on voit au milieu ? Gros coup de théâtre à la roumaine : plus rien ! Enfin plus rien, si ! On voit le joint de la trappe par où l'autre gouinasse est redescendue…

Et ça, c'est un seul tableau, il y en a quatre heures comme ça. Et pendant ces quatre heures, il y a un gamin nu, au fond, un gosse de quatre ans, dans une espèce de cabine téléphonique dont la porte bat constamment, et ce gosse lance des balles de ping-pong sur un vieux Roumain assis sur la chaise, avec une barbe et un grand chapeau, il en lance une toutes les trente secondes, et le vieux roumain regarde les balles arriver, et il fait comme ça, l'air de dire, « c'est désolant », et on a envie de dire « ah oui, mon pote, c'est le mot qu'on cherchait, c'est désolant ! ».

Et ce qui me fout en rogne, c'est que c'est typiquement le genre de truc qui va être largement subventionné par le ministère de la Culture. Tu penses, c'est roumain, ça va leur plaire. Alors on va gaspiller nos impôts à subventionner des pitreries de Roumains qui n'intéressent personne, et pendant ce temps-là, il y a des criminels qui tuent nos gosses en bagnole, et ceux-là, pour les arrêter, y a pas de budget !

Naturellement, ça va être amplement relayé par les médias, la radio, la télé, au journal du soir, hop, Zanada Piescu, sur une chaîne, sur l'autre chaîne, surprise : Zanada Piescu... Zanada Piescu par-ci, Zanada Piescu par-là, ils vont nous en refaire bouffer la nuit, on va avoir droit au reportage sur l'espèce d'artisan qui découpe les têtes de cheval en contreplaqué, on va arriver dans son atelier, de nuit... « Nous arrivons dans l'atelier de Silviu Petrinescu... » On va voir un vieil alcoolique qui va nous raconter : « Oui, je prends la scie numéro 3 pour découper le museau, et il y a une anecdote

amusante si on a le temps, oui on a le temps ?
Quelquefois monsieur Piescu très pressé, alors
j'a eu l'idée mettre deux épaisseurs de contre-
plaque, alors je prends la scie numéro 9. » Je
peux vous dire qu'on ne va pas tarder à en avoir
plein le cul, de Zanada Piescu.

Et puis attention, je vous préviens, les Roumains, une fois qu'ils seront installés chez
nous, vous aurez du mal à les déloger. Les
Roumains, quand ils ont mis le pied quelque
part, ils s'incrustent. C'est une mafia. T'as le
dos tourné trente secondes, ce n'est plus écrit :
« Sortie de secours », c'est écrit : « Brizzu
Valzu », ou je ne sais quoi… en roumain,
quoi ! Oh, on peut en rigoler maintenant, mais
le jour de l'incendie, nos gosses cherchent la
sortie de secours, ils voient marqué « Brizzu
Valzu », et ils grillent dans le machin !

Et c'est encore les comiques qui vont rafler
la mise, ils vont nous faire un sketch tordant
sur quarante-cinq bambins carbonisés dans un
théâtre. Un sketch avec un gosse qui hurle,
parce que sa petite chemise en nylon est en
feu, et qui voit sa mère un peu plus loin, qui
a déjà les bras tout noirs, et qui ne peut rien
faire parce qu'elle est coincée sous un fauteuil

en flammes, c'est que ça brûle bien, le contre-plaqué et les manches à balai, le gosse qui crie : « Maman », il ne comprend pas pourquoi elle ne vient pas le secourir, et pendant ce temps-là, les Roumains, ils se sont barrés, pour eux, la sortie de secours, ils l'ont vue tout de suite, c'est dans leur langue, ils sont attablés au bistrot devant des litrons de bière avec les shorts bavarois à franges et les bretzel fantaisie, et le gamin pousse des cris épouvantables, il est en train de brûler vif, il va voir mourir sa mère sous ses yeux avant de crever lui-même, c'est ça que vous voulez ??? Hein ??!!

> *Musique folklorique roumaine. Arri-vée d'une petite fille costumée en rou-maine apportant un bouquet de fleurs. Il arrache le bouquet, le piétine, gifle la gamine, et s'en va. Elle reste seule et désolée face au public.*

FIN

Le professeur Rollin
se rebiffe

En mars 1957, dans les faubourgs boisés de la ville de Cologne, en Allemagne, il y a une biche qui s'est aventurée sur un terrain vague. Elle a trouvé ça sans intérêt, et elle est repartie.

C'est sur cet épisode en apparence anodin que je vous invite à réfléchir tous ensemble ce soir. En gardant présent à l'esprit qu'il existe une autre version de l'histoire, selon laquelle « en mars 1957, dans les faubourgs boisés de la ville de Cologne... en Allemagne, il y a une biche qui s'est aventurée sur un terrain vague... elle a trouvé ça sans intérêt, et elle est repartie aussi sec ».

Vous mesurez l'écart : dans la deuxième version, avec ce départ sec, énergique, déterminé, la biche « aurait » manifesté son profond désintérêt pour ce qu'elle venait de voir. Dans la première version, au contraire, la nonchalance du départ laisse supposer une sorte de fatalisme désabusé chez la biche. Les deux réactions, finalement, sont aux antipodes l'une de l'autre, en conséquence de quoi l'une des deux versions est forcément fausse. La biche de Cologne ne peut pas être à la fois repartie « aussi sec » et « repartie » tout court. Avant même de creuser plus profond, il va nous falloir trancher, et avant même de trancher, il va nous falloir répondre au courrier de la semaine, qui est abondant.

En un seul mot. Pour ceux qui se disent : « Flûte flûte, le courrier du Professeur est séquestré au village de Bondant, en Charente-Maritime »... non non, il est là !

Une question de Joseph de Brie-Comte-Robert : « Professeur, quelle est la différence entre le raisin noir et le raisin blanc ? »

Je réponds : le raisin noir et le raisin blanc ont tous les deux été baptisés par des daltoniens, mais pas par les mêmes daltoniens. En effet, chacun peut le constater, le raisin noir n'est pas noir, et le raisin blanc n'est pas

blanc. Le raisin noir est violet foncé, et le raisin blanc est vert. On saisit mieux dès lors la différence, car entre noir et violet foncé, il n'y a pas un gros écart, c'est un raisin qui a été baptisé par des daltoniens peu atteints, alors qu'entre blanc et vert, il y a tout un monde, c'est dire que le raisin blanc a été baptisé par des daltoniens lourds. En résumé : les deux raisins sont mal nommés, mais le noir est un petit peu mal nommé alors que le blanc est super mal nommé.

On rappellera utilement ce mot d'Antoine Saint Macary, qui a écrit : « Il y a autant de différence entre le blanc et le vert qu'il y en a entre la Laponie et la Normandie. » C'est très bien observé ! Et quelques lignes plus loin Saint Macary ajoute : « En revanche, entre le noir et le violet foncé, j'avoue humblement que je ne vois pas toujours très bien la différence. » Fin de citation. C'est toujours passionnant, Saint Macary !

Une autre question, de Charlotte, de Brie-Comte-Robert : « Professeur, lors du dernier festival de musique de Brie-Comte-Robert, vingt-sept concerts sur les trente programmés étaient des concerts de musique chinoise. J'ai fait remarquer qu'à mon sens c'était trop. Ce à quoi on m'a répondu : "C'est de la xéno-phobie. Faut que t'apprennes à t'ouvrir sur le monde, ma cocotte, c'est affligeant d'être fermée comme tu l'es… un tel chauvinisme (je suis toujours dans les guillemets)… un tel chauvinisme petit-bourgeois, c'est triste." J'ai trouvé ces reproches injustes. Professeur, que pouvez-vous faire pour moi ? »

Quant à la programmation de votre festival, je ne peux rien faire, je n'ai pas de contact fiable à Brie-Comte-Robert. J'ai eu un ami, mais il est mort. Et il n'était pas de Brie-Comte-Robert.

En revanche, ce que je peux faire pour vous, Charlotte, c'est d'une part vous dire que je partage votre avis : vingt-sept concerts de musique chinoise sur trente, c'est une proportion qui me semble légèrement déséquilibrée. À moins bien sûr qu'il s'agisse d'un festival de musique chinoise, mais là si j'ai bien compris, non !

Et d'autre part vous dire que vous avez été très nettement victime d'une manifestation typique d'un fléau des temps modernes, qu'on appelle la bien-pensance.

La bien-pensance est un mal sournois, car les bien-pensants ne savent pas qu'ils sont bien-pensants, le malade ne sait pas qu'il est malade. Personne ne se revendique bien-pensant, les malades sont difficiles à recenser. Le bien-pensant fonctionne sur un credo à deux volets, parfaitement indissociables : lui il pense bien, et deuxième temps indissociable, vous, vous pensez mal.

Par exemple le bien-pensant est pour la paix, pour la liberté, pour la justice, pour la solidarité, pour la grandeur d'âme et pour la beauté. Et vous, et là encore c'est indissociable, vous êtes pour la guerre, pour la tyrannie, pour l'injustice, pour l'égoïsme, pour la bassesse, et pour la laideur. Je ne vous félicite pas.

Je vous raconte une petite anecdote : j'animais l'an dernier à Brie-Comte-Robert un colloque sur les manipulations génétiques à visées ludiques. Il y a dans cette phrase quatre informations, dont trois sont superflues. « L'an dernier », c'est sans importance, Brie-Comte-Robert, on s'en fiche, et le sujet du colloque on s'en fiche aussi. Ce qui est à retenir, c'est l'existence d'un colloque, en vertu de quoi je fus à un moment donné en situation de distribuer la parole.

Au bout de trois quarts d'heure de débats, pour inviter un des participants à s'exprimer, j'ai dit : « Oui, le monsieur noir, on vous écoute. » Une dame de l'autre côté s'est alors levée comme un seul homme, ce qui n'est pas facile pour une femme, et elle m'a apostrophé : « Comment pouvez-vous dire une chose pareille, c'est honteux. Ce sont des propos racistes. Vous stigmatisez ce pauvre monsieur ! »

Je lui ai répondu : « Madame, votre intervention est une manifestation typique d'un fléau des temps modernes qu'on appelle la bienpensance. J'ai dit "le monsieur noir" comme j'aurais dit "la dame au chemisier bleu" ou "le jeune homme à lunettes", en le disant je n'ai trahi aucun secret, ce monsieur savait déjà qu'il est noir, ça ne lui pose pas de problème, il vit avec sa couleur, et depuis longtemps, probablement depuis sa naissance. Si j'avais dit : "Le gros, là" ou "Oui, je vous écoute, le laideron, le cageot, le thon, la moche", vous auriez pu me parler de stigmatisation, mais la couleur noire n'est pas stigmatisante, pas plus qu'un chemisier bleu ou qu'une paire de lunettes.

En fait, Madame, vous avez cru voler au secours de ce monsieur, vous pensez que vous avez parlé pour lui, en réalité vous n'avez parlé que de vous et que pour vous. Vous avez tenu à afficher – alors même qu'on ne vous demandait rien – le fait que vous êtes du bon côté contrairement à nous tous qui ne le sommes pas. Ce faisant, vous avez fait perdre du temps à tout le monde, au monsieur noir, à moi-même et à tous les participants.

En résumé, Madame, vous nous avez pété les couilles, inutilement.

Voilà, Charlotte. Je vous laisse vous inspirer librement de cette réponse pour le cas où vous seriez de nouveau confrontée à une manifestation typique de ce fléau des temps modernes etc.

Une autre question. Elle est de Sophie, de Brie-Comte-Robert : « Professeur, que pensez-vous du paprika ? »

Je réponds sans détour : le paprika, ça n'a pas de goût. Ça donne une jolie coloration au plat, mais ça n'a pas de goût. Le paprika ne mérite pas de figurer dans la liste des épices.

Houlala, j'ai bien conscience qu'en abordant un sujet aussi sensible et aussi polémique, je m'expose à des critiques, si ce n'est à une levée de boucliers des journalistes spécialisés qui me reprocheront d'être passé à l'extrême droite, qui diront : « De quoi se mêle-t-il, ça y est, le Professeur Rollin a basculé dans le fanatisme et l'anti-paprikisme primaire, dans l'extrémisme obtus et la discrimination des épices. » Mais je prends le risque, je préfère dire ce que je pense : le paprika, ça n'a pas de goût.

Vous savez, il me serait facile d'aller me blottir dans la tiédeur du consensus et de répondre : « Houlala, le paprika, c'est un sujet diablement sensible. On aime ou on n'aime pas ! » ou vous dire, bien courageusement, que le paprika, « ça a peut-être, oui, peut-être, si, un petit goût de, de, de… paprika ». Mais je préfère crever l'abcès et vous dire, comme je le pense, que le paprika, ça n'a le goût de rien.

J'ai espéré pouvoir vous l'épargner… mais il existe une TROISIÈME version de l'histoire, selon laquelle ce serait Eugène Labiche, l'auteur dramatique bien connu, qui en mars 1957, toujours dans les faubourgs boisés de la ville de Cologne… précisément, se serait aventuré sur un terrain vague, aurait trouvé ça sans intérêt et serait reparti illico.

Mais je ne crois pas à cette version, pour deux raisons. La raison principale, c'est qu'ayant re-relu avant-hier l'oeuvre intégrale d'Eugène Labiche, de *Embrassons-nous Folleville* au *Chapeau de paille d'Italie*, en passant par *Je croque ma tante*, je n'y ai trouvé aucune mention d'un terrain vague. Si Labiche avait vécu un épisode aussi marquant, il n'aurait évidemment pas manqué d'en faire de la littérature.

La deuxième raison – plus anecdotique – c'est qu'en 1957, Labiche était mort depuis soixante et onze ans. Mort, mort ! Et enterré. À Paris, au cimetière Montmartre. Je le vois mal, dans cet état, creuser un souterrain depuis le cimetière Montmartre jusqu'aux faubourgs de Cologne, soit 417 km en ligne droite (parce que quitte à creuser un souterrain, il faudrait vraiment être vicieux pour faire des zig-zags)… avec des passages de roches très dures du côté du massif des Vosges… Je ne dis pas que c'est impossible, je dis que je le vois mal !

Oh ! et puis arrêtez de me chercher des poux dans la tête, vous feriez mieux de consacrer votre énergie à pousser un grand ouf de soulagement. Parce que je ne sais pas si on vous l'a dit mais cette conférence a failli ne pas avoir lieu… On revient de loin ! En d'autres termes, nous l'avons « échappé belle », expression qui nous vient de l'ancien jeu de paume, au même titre que prendre la balle au bond, qui va à la chasse perd sa place, enfant de la balle, tomber à pic, rester sur le carreau, épater la galerie, ou jeu de main, jeu de vilain. Si nous étions parfaitement libres de nos mouvements, nous passerions évidemment la soirée à ausculter avec la gourmandise que je devine en vous toutes ces expressions issues de l'ancien jeu de paume. Mais nous ne sommes pas libres, parce que nous sommes impatients de savoir pourquoi il nous faut pousser ce ouf de soulagement.

Que s'est-il passé exactement ? Il y a 11 jours, j'ai reçu un coup de téléphone anonyme – j'étais, au moment où je l'ai reçu, en train de trier des graines de coriandre à l'aide d'un sèche-cheveux à trois vitesses… Trois vitesses de ventilation, et trois niveaux de chauffe. L'opération est délicate, parce que si vous mettez la soufflerie et la chaleur trop bas, les petites pailles qui encombrent les graines ne bougent pas. Mais si vous mettez la soufflerie trop fort et le chauffage trop fort, alors les graines filent sur le parquet, et il n'y a plus qu'à tout recommencer, avec une difficulté supplémentaire, c'est qu'il faudra maintenant trier la poussière qu'on a rapportée du parquet. La distance aussi est un paramètre important : pour prendre un exemple trivial, si votre sèche-cheveux est à 74 km de l'assiette à coriandre, il ne se passe rien. A contrario, si vous êtes trop près, alors les graines volent par terre, et on se retrouve dans ce que j'appelais tout à l'heure la « configuration parquet », avec la nécessité désormais de trier aussi la poussière. Qu'est-ce que je disais ? – Ah oui, un coup de fil m'informant qu'une société secrète ayant pour habitude de se réunir à 4884 m d'altitude au sommet du Puncak Jaya, point culminant de la Papouasie-Nouvelle-Guinée, envisageait d'empêcher par tous les moyens, légaux Zou illégaux, la tenue de tout colloque ou conférence abordant plus ou moins centralement l'affaire de la biche de Cologne. Renseignements pris, il s'agissait d'un canular, de très bon goût au demeurant. La seule chose vraie dans tout ça, c'est que le Puncak Jaya est bien, avec ses 4884 m de hauteur, le point culminant de la Papouasie-Nouvelle-Guinée, et, par extension, de l'Océanie tout entière, le plus ébouriffant des cinq continents. Mon Dieu qu'il est ébouriffant ce continent-là. Le reste n'est que calembredaine, et vous pouvez pousser votre ouf sur ses roulettes de ouf. Je vous laisse pousser.

Une question de Francis, de Brie-Comte-Robert : « Professeur, quel est votre prénom ? »

C'est « Professeur ». Rollin, c'est mon nom, « Professeur », c'est mon prénom. On s'appelle comme on s'appelle. Et je n'ai pas à me plaindre, j'en suis assez content, de ce nom. Parce que, a contrario, j'aurais détesté m'appeler John Clafoutis. Ça, j'aurais détesté. Je me suis même fait pendant des années un sang d'encre à ce sujet, jusqu'à une date assez récente où j'ai réalisé que ça ne me menaçait pas franchement. Mais si ça devait me tomber dessus, je me battrais comme un lion ! John Clafoutis, c'est NON ! Oh vous pouvez leur dire, Francis !

Une question de Christine, de Brie-Comte-Robert : « Professeur, pensez-vous qu'il existe un racisme anti-blanc ou un racisme anti-français ? » et : « Faut-il avoir peur de l'islam ? »

Elle date de quand, cette lettre ? 5 janvier, oui, donc c'était avant.

Je réponds : oui, le racisme anti-français, je pense que ça existe, il serait d'ailleurs très surprenant que ça n'existe pas, puisque toutes les sortes de racisme existent, et celles qui n'existent pas encore ne tarderont pas à être inventées. Oui, il existe un racisme anti-français, ou anti-blanc, pour nous ici ça revient un peu au même, il est tout aussi détestable et répugnant que les autres racismes, et il n'y a aucune bonne raison de ne pas le dénoncer quand il se présente. Sauf si on est pour le racisme en général. C'est un choix.

Mais sinon, qu'un enfant blanc soit traité parce qu'il est blanc de « face de craie », de « toubab » ou même de « gaulois », ça n'est pas normal, et je regrette que ces faits ne soient pas condamnés avec autant de vigueur et de visibilité par les politiques, par les médias, par les bien-pensants et autres belles âmes humanistes, qu'ils en usent pour condamner tous les autres racismes. Bien parlé, Professeur ! Merci…

Quant à l'islam, non, bien sûr. Dans l'absolu il n'y a aucune raison d'en avoir peur. Mais oui, on peut en avoir peur quand il devient impérialiste.

C'est vrai qu'il y a aujourd'hui un problème inédit d'absorption de l'islam par la France avec ses lois et sa culture. Et cette situation pose un vrai problème d'une cohabitation et d'un vivre-ensemble pacifiques. Parce qu'on ne fait pas entrer deux cent mille personnes par an majoritairement de confession musulmane sur un territoire donné sans s'exposer à d'éventuels bouleversements démographiques, culturels, sociaux, qui peuvent faire craindre à terme un changement de civilisation, ce qui n'est pas forcément le but. Moi je ne suis pas tellement inquiet, mais on ne peut pas interdire à ceux qui sont inquiets d'être inquiets, et on peut encore moins leur interdire de dire qu'ils sont inquiets. Pour vous donner un exemple extrême, mais authentique : si dans mon appartement de 93 m², mon fiston a invité pour son anniversaire quatre cent dix-sept copains, je dois raisonnablement m'attendre à ce que ça ne soit pas facile à gérer. Ça ne sera pas forcément inutile que j'y réfléchisse un petit peu, en tout cas un peu plus loin que le simple : « Ben quoi, j'vois pas où est le problème, c'est sympa les gosses. »

Et c'est vrai que c'est sympa, les gosses. Notamment à l'occasion des pique-nique en forêt, lorsque, enivrés par les fragrances vivifiantes des fougères de printemps, ils courent en tous sens, se prennent les pieds dans la nappe à carreaux et vont valser le Tupperware de museau vinaigrette pile dans la fourmilière. Quelle rigolade !

Pardon, Christine, de vous avoir fait une réponse aussi brève et rigolote, mais il faut bien se détendre un peu. Et puis j'ai bon espoir de trouver là dedans des questions plus graves. Tiens :

Chloé, de Brie-Comte-Robert : « Quels sont les ouvrages majeurs concernant la perdrix ? »

Il est important de faire le tri parmi les milliers d'ouvrages concernant la perdrix et le perdreau, tous ne sont pas sérieux, certains sont même carrément fantaisistes, on peut en citer cinq, c'est suffisant pour une première approche. À commencer par l'excellent livre de Gérard Thibaudin, *Je chasse la perdrix*, un guide pratique très pratique et très documenté, dans lequel Thibaudin nous raconte comment il chasse la perdrix. Et puis, un peu

en réaction à l'ouvrage de Thibaudin, il y a le livre d'Antoine Lesourd, intitulé *Je chasse les perdrix*. En effet, Lesourd démontre par l'exemple qu'il n'y a pas sur la terre qu'une seule perdrix, et qu'il est donc absurde de dire, comme le dit Thibaudin : « Je chasse la perdrix », car une fois que la perdrix unique est chassée, il n'y a plus rien à chasser. Lesourd estime par conséquent que seule la formule : « Je chasse les perdrix » est intelligente. En réaction cette fois au bouquin de Lesourd, Thibaudin a écrit un second livre, un peu polémique c'est vrai, mais d'une lecture agréable, un livre intitulé *Je chasse la perdrix morte*. Thibaudin répond en quelque sorte à Lesourd, en affirmant qu'une fois LA perdrix chassée, il est encore possible de chasser indéfiniment la même perdrix, mais morte. Une thèse audacieuse, mais finalement assez convaincante. Quatrième ouvrage à consulter : la réponse de Lesourd au *Je chasse la perdrix morte* de Thibaudin, qui s'intitule *Thibaudin est un charlot*. Il y est surtout question de Thibaudin, mais on y trouve quelques passages assez poétiques concernant la parade amoureuse de la perdrix. Et puis, pour finir, un ouvrage essentiel, c'est celui de Thibaudin, qui a pour titre *Des cons comme Antoine Lesourd, ça donne envie de pleurer*, il n'est pratiquement question que d'Antoine Lesourd dans ce livre, mais il y a tout de même en annexe une recette assez adroite de perdrix au vermouth.

Un des obstacles supplémentaires, c'est que je n'ai pas de preuves de cette histoire. Je l'ai apprise par une feuille de chou locale, le *Kölnerblatt*, que je n'ai pas conservée, faute de place, à cause de ma collection d'écureuils en pâte à modeler. Par la suite, j'ai essayé de me procurer un fac-similé, mais ce journal a disparu et il n'a laissé aucune archive. Par-dessus le marché, et très curieusement, l'affaire de la biche n'a été relayée à l'époque par aucun média national allemand ni a fortiori européen. Aucune preuve ! Ça a deux conséquences : la première, c'est que vous êtes obligés de me croire sur parole (ce qui n'est pas forcément désagréable) et la deuxième, c'est que puisque j'en suis le seul dépositaire, cette histoire risque de mourir avec moi.

Je n'ose pas vous demander de reprendre le flambeau, vous avez des vies très compliquées, du travail, des enfants... et puis je ne suis pas certain que vous preniez bien la mesure de l'importance de cette histoire.

Vous savez, il y a quelques mois, je bavardais dans une brasserie à Concarneau, avec un monsieur, je lui ai raconté l'histoire par le menu, il m'a écouté très attentivement, avec beaucoup de curiosité et d'intérêt, il m'a demandé des précisions, je lui en ai fourni, et à la fin ce monsieur m'a dit : « Je ne vois pas où est le problème. » Vous vous rendez compte ? « Je ne vois pas où est le problème. » Vous comprenez ce que ça veut dire ? En clair, pour ce monsieur, il n'y avait purement et simplement pas de problème ! Je lui ai fait part de mon ahurissement. Alors il s'est énervé, il a dit : « Attendez, le problème ce serait donc de savoir si la biche est repartie aussi sec ou repartie tout court ??!!? », je lui ai répondu : « Oh la la, si t'en es là, mon pauvre coco, laisse tomber... retourne jouer au 421 avec tes copains marins pêcheurs et me fais plus chier ! »

Quant à vous, malgré votre bonne volonté évidente, je vois bien ce qui va se passer. Ce qui va se passer, c'est que vous allez raconter l'histoire une ou deux fois, pour briller en société. Et puis quelqu'un à côté de vous va embrayer l'air de rien sur les problèmes liés à l'espace Schengen… et ma biche de Cologne, pffuit !

Julien de Brie-Comte-Robert : « Quel est le sens propre du mot finnois *Gällerdekken* ? »

Chacun a fait connaissance, au cours d'un séjour dans ce beau pays qu'est la Finlande, a fait la connaissance du sens figuré de *Gällerdekken*, qui désigne, au figuré donc, un petit emplacement modeste dans un camping de bonne tenue. En Finlande, vous ouvrez la fenêtre de la voiture, et vous demandez à un quidam, tout simplement : *Gällerdekken*… Il vous indique immédiatement un petit emplacement modeste dans un camping de bonne tenue, pourvu qu'il en existe un dans le secteur et pourvu qu'il en connaisse l'existence. C'est le sens figuré de *Gällerdekken*. Au sens propre, *Gällerdekken* désigne un mocassin à talonnette basse et à flancs renforcés au moyen de petites languettes de métal cousues à même le cuir. En fait, plus personne, à part quelques érudits renfermés et passéistes, plus personne n'utilise *Gällerdekken* dans son sens propre.

Et en même temps, il faut citer la mésaventure qui est arrivée à notre ami Serge Lama…

Serge voyageait en Finlande et un soir, il se met en quête, pour y passer la nuit, d'un petit emplacement modeste dans un camping de bonne tenue. Il baisse donc la vitre de sa voiture, avise un quidam, et lui demande, tout à trac : *Gällerdekken*. Le quidam lui donne des explications, que Serge suit scrupuleusement, et, 15,4 km plus loin, Serge se retrouve nez à nez avec un mocassin à talonnette basse et à flancs renforcés au moyen de petites languettes de métal cousues à même le cuir. L'explication ? Elle est simple. Serge Lama était tombé par malchance sur un érudit renfermé et passéiste, qui utilisait le mot *Gällerdekken* dans son sens propre.

Plus de peur que de mal !

Une question de Gabriel de Brie-Comte-Robert : « Je préférerais que mon fils ne soit pas homosexuel. Suis-je homophobe ? »

A priori non, vous manifestez une préférence, un souhait pour l'avenir et l'épanouissement de votre enfant, ce qui est bien naturel pour un père ou pour une mère ou pour des parents. D'autant que ce souhait n'exclut ni ne condamne l'autre alternative, c'est-à-dire l'homosexualité, et ce souhait ne dit en rien non plus que vous rejetteriez votre fils s'il le devenait. Je peux imaginer que votre souhait est dicté par le souci que votre enfant s'épargne tout le lot de tracas et de souffrances qui accompagnent malheureusement bien souvent le simple fait de vivre son homosexualité.

Alors non, je ne crois pas que l'on puisse vous qualifier d'homophobe, pas plus que l'on ne pourrait vous traiter de « thalassophobe » si vous ne souhaitiez pas que votre fiston embrasse une carrière de marin pêcheur professionnel par crainte qu'il ne trouve pas de débouché dans cette profession en crise aujourd'hui, et par crainte des heures d'angoisse passées sur le quai à guetter le retour du bateau les nuits de tempête. Notez que si vous reveniez vers moi dans quelques années, en me disant : « Cher Professeur, j'ai une fille désormais et je souhaiterais qu'elle soit homosexuelle », je vous répondrais : « Oui, Gabriel, vous êtes peut-être un peu farfelu dans votre genre, mais bon, si c'est votre idée, pourquoi pas. » C'est très libre, c'est comme les champignons...

On ne mange pas obligatoirement les champignons qu'on ramasse, et on ne ramasse pas obligatoirement les champignons qu'on mange ; en somme, rien n'est obligatoire, en matière de champignons.

Une question de Gaspard de Brie-Comte-Robert : « Professeur, je trouve qu'on devrait enfermer tous les pédés, toutes ces saloperies entre hommes ou entre femmes, ça me dégoûte, c'est contre nature et ça me donne envie de gerber et de tous leur cracher à la gueule. Suis-je homophobe ? »

… Non… Non, Gaspard, vous êtes seulement complètement cinglé.

Question de Louise, de Brie-Comte-Robert : « Professeur, que penser de la mesure c point a avec accent s point ? » Je traduis : « Que penser de la mesure cuiller à soupe ? »

Et je réponds : il y a là en effet un désordre préoccupant. Les livres de cuisine nous indiquent depuis la nuit des temps des quantités mesurées en cuillers à soupe. Par exemple trois cuillers à soupe de farine, ou quatre cuillers à soupe de sucre ou… je ne trouve pas d'autre exemple. Or les cuillers à soupe ont changé. Celles d'autrefois (que j'appelle dans mon jargon « cuillers à soupe anciennes ») pouvaient contenir jusqu'à 4 à 5 cl de soupe. Celles d'aujourd'hui n'en contiennent souvent que 2 ou 3. J'ai même rencontré personnellement des cuillers à soupe ne contenant qu'un seul centilitre de liquide. Dans ces conditions, le consommateur naïf risque d'incorporer à sa préparation 5 g de farine, là où 20 g eussent été nécessaires. Il est donc de toute première instance que les livres de cuisine soient modifiés en conséquence, qu'ils révisent leur nomenclature, et qu'ils précisent clairement s'ils parlent de cuillers à soupe anciennes ou de cuillers à soupe modernes. Vous allez me dire « c'est beaucoup de bruit pour pas grand-chose ». Mais non, il suffit d'abréger sous la forme « c point a avec accent s point a point », pour ancienne ou bien « c point a avec accent s point m point », pour moderne. C'est pas la mer à boire. Ne soyez pas psychorigides !

Suzanne, de Brie-Comte-Robert : « Professeur, la fondue savoyarde, c'est bien un litre de vin blanc par kilo de fromage ? »

Oui oui, c'est ça. C'est pour ça que je me suis un peu fâché à l'instant, les proportions, c'est la clé de la réussite en cuisine. Par exemple, 17 kg de jambon dans un sandwich au jambon, c'est trop. Une baie de genièvre dans une choucroute pour un bataillon de cent quatre-vingts chasseurs alpins affamés, ce n'est pas assez ! 30 hl d'huile d'olive pour deux tomates... c'est trop aussi. Mais là, j'estime que c'est aux tomates de faire l'effort.

Je sais l'erreur que j'ai commise ! J'ai négligé de replacer cette histoire dans son contexte historique et géographique ! Bon alors, mars 1957. 1957, c'est la signature du Traité de Rome. Mars 1957, le printemps. Les bourgeons, l'herbe, les hirondelles. Oui, les hirondelles, car une hirondelle ne le fait pas. Et puis, contexte géographique : Cologne. L'eau de Cologne, non pas l'eau du Rhin, qui arrose Cologne, encore que la formulation me semble impropre, je ne pense pas que Cologne existait et que le Rhin a décidé d'arroser Cologne, je crois plutôt que le Rhin n'arrosait rien et que c'est Cologne qui a décidé de se faire arroser par le Rhin... Mais on ne va pas rentrer dans ce débat... Je parlais de l'eau de Cologne, le parfum le « sent-bon », comme disent les jeunes filles. Mon grand-père avait toujours de l'eau de Cologne sur son lavabo. Alors est-ce que le lavabo de mon grand-père fait partie du contexte... surtout si on ajoute le nom incroyable de la région : Rhénanie-du-Nord-Westphalie, alors là, bien sûr... Non, pas plus !

Agnès, de Brie-Comte-Robert : « Professeur, on dit que vous aimez la peinture, est-ce vrai ? »

C'est compliqué, le métier d'artiste peintre, c'est compliqué... parce que la plupart du temps on ne connaît la valeur d'un peintre qu'une ou plusieurs décennies après sa mort... Donc, pour une jeune femme, par exemple, qui a une relation amoureuse avec un peintre nettement plus âgé qu'elle... il faudra qu'elle attende cinquante ans ou plus pour savoir si elle est entrée dans la légende en étant la muse d'un génie... ou si elle a simplement sucé un vieux. C'est pour ça que c'est compliqué.

Luigi, de Brie-Comte-Robert : « Professeur, on dit que vous aimez la musique militaire. Est-ce vrai ? »

Je n'ai pas pour habitude de répondre à des questions trop personnelles, mais puisque vous avez un nom à consonance italienne qui évoque la fête et les spaghettis carbonare, je veux bien faire une exception.

Oui, j'aime la musique militaire. Je l'aime parce que – et je vais certainement vous choquer Luigi – je la trouve simple à la fois mélodiquement et rythmiquement. Alors oui, j'aime ça. Et je m'empresse de rappeler ce que j'ai dit lors d'une précédente conférence, la musique militaire n'est pas réellement « militaire », ce sont le plus souvent des airs et des musiques populaires qui ont été accaparées par les militaires mais qui nous appartiennent autant qu'à eux, si ce n'est plus.

Aimer la musique militaire n'implique aucune velléité belliqueuse, il s'agit plus souvent de peloter un peu les fesses de la Madelon qui vient nous servir à boire, ou de rejoindre sa blonde dans le jardin de mon père où les lilas sont fleuris… Voyez qu'on est loin du bain de sang.

Alors oui, j'aime bien *La Madelon*, « La Madelon vient nous servir à boire, sous la tonnelle on frôle son jupon »… et puis : « Elle rit, c'est tout le mal qu'elle sait faire… » Parce que pendant longtemps, je me disais : « les types sont drôlement exigeants, la Madelon vient leur servir à boire, et eux ils réclament à manger, ils disent "et le riz !", mais en fait c'est pas ça, c'est "elle rit" quand on lui prend la taille ou le menton…

Auprès de ma blonde, avec ce suspense de « il fait bon fait bon fait bon », fait bon quoi ? fait bon dormir, j'avais espéré mieux, mais bon, on fera avec…

Sambre et Meuse, « Le régiment de Sambre et Meuse marchait toujours au cri de liberté… » Liberté !! (Ça c'est pas dans la partition, c'est moi qui l'ai ajouté.)

Saint-Cyr, la trompette, tatata taritari tata, direction l'école. L'école de Saint-Cyr. Saint-Cyr-l'École.

La Marche lorraine, c'est magnifique…

Le rêve passe, « Les voyez-vous, les Hussards, les Dragons, la Garde, ceux de gnagnagna… », je ne connais pas bien les paroles, mais c'est surtout quand « Ils saluent tous l'empereur qui les regarde ».

Même quand c'est lent, j'aime bien. *Les Dragons de Noailles*, c'est très lent, « Ils ont traversé le Rhin… » on se dit : « Ils sont pas arrivés, les mecs, ils sont pas encore à Cologne !! », « Avec Monsieur de Turenne »…

Le Chant du départ, « La victoire en chantant nous ouvre sa barrière... »

La Marche des mousses, le trio ! Oui, le début, c'est de la merde, mais le trio ! Pôpôpô...

Puisque je suis en veine de confidences, il y a, parmi toutes ces musiques, un morceau qui m'a toujours bouleversé, c'est le *Défilé de la garde républicaine*. Ça peut paraître un peu cucul la praline, mais c'est la France, c'est la République, ça me parle. Quand j'entends le *Défilé de la garde républicaine*, où que je sois, je défile au pas cadencé et je m'en vais en pleurant. Je suis comme ça. Pas vous ? Si ?

Une question d'Antonia de Brio-Comte-Robert, ça doit être une faute de frappe : « Professeur, dans la classe de ma fille en banlieue parisienne, il y a vingt-sept Noirs sur trente élèves, et ça me fait bizarre. Suis-je donc fasciste ? Et par ailleurs, peut-on dire qu'il y a en France un problème d'immigration ? »

Il faut que je redise à mon secrétariat que c'est UNE question par lettre. Mais comment l'écrire aux gens qui n'ont pas encore écrit, on ne connaît pas leur adresse ! Et puis je n'ai pas de secrétariat.

Sur l'immigration, votre question est ambiguë, puisque à la fois, oui, on peut le dire, et non, on ne peut pas le dire. En commençant par la seconde proposition : on ne peut pas le dire sans être immédiatement suspecté par la meute des bien-pensants de sympathie avec l'extrême droite, de racisme, et de xénophobie. Et cependant, oui on peut le dire, parce que le simple bon sens le commande, et ne serait-ce que parce que ça correspond au ressenti d'une grande partie de la population. Vous savez, c'est comme les températures ressenties : si je ressens – 10 °C, vous aurez beau me dire qu'il fait « en réalité » + 3, ça ne me réchauffera en aucune façon. Ça risque même de m'agacer un petit peu et d'exacerber ma sensation de froid. Donc oui, on peut dire qu'il y a un problème d'immigration en France, pour ajouter aussitôt que ce problème n'est ni dramatique, ni irrémédiable. Il y a moyen de le solutionner. Encore faut-il pour cela avoir préalablement admis qu'il existe et être sorti de la position de déni têtu qui caractérise un grand nombre de dirigeants politiques, notamment à gauche. À gauche de quoi, l'histoire ne le dit pas.

Sur le fond, Antonia, je comprends votre préoccupation, comme je comprendrais qu'une maman de Bamako, en un seul mot (pour ceux qui croient qu'il existe un haut Mako, non, c'est tout plat) trouve bizarre que dans la classe de sa fille à Bamako, au cœur du Mali, il y ait vingt-sept élèves blancs sur trente. Là aussi, ça ferait bizarre.

Ça ferait bizarre à tout le monde, aux mamans, aux enseignants, et aux élèves eux-mêmes, comme ça fait probablement bizarre aux vingt-sept enfants noirs de la classe de votre fille qui se sentiraient sans doute mieux intégrés dans le pays d'accueil s'ils étaient deux, trois, quatre ou dix dans la classe.

Du reste, la plupart des émigrés ne sont pas heureux en France, ils n'ont pas choisi de venir par amour du pays, ils n'ont pas choisi de s'expatrier, ils ont juste essayé de sauver leur peau. Et là, regroupés, entassés, ghettoïsés, ils sont à des années lumière de leurs racines et de leur culture, et ils ne parviennent guère qu'à reproduire une espèce de sous-culture américaine qui ne leur ressemble pas, ce n'est pas génial.

Comme dit mon cousin Gaston : « Une intégration est réussie si elle s'effectue selon des critères multiples, comme ce fut le cas pour les Italiens ou les Polonais : le marché du travail, les affinités sensibles, les préférences régionales, les circonstances familiales, etc. et non pas selon un seul critère ethnique artificiel et inhumain. » Merci Gaston. C'est pas Gaston qui dit : « Merci Gaston », c'est moi !

Niels, de Brie-Comte-Robert : « À quelle époque faut-il tailler les rosiers ? »

La réponse est : au XVIIᵉ siècle. Oui, sans hésiter, le XVIIᵉ siècle est vraiment la meilleure époque pour tailler les rosiers. Avant, c'est un peu tôt, en particulier parce que la médecine ne maîtrise pas encore le tétanos, si souvent causé par les piqûres d'épines de roses. Après, c'est un peu tard, puisque, dès 1580, le poète Pierre de Ronsard nous signale déjà des cas de roses en voie de flétrissure, ce qui indique clairement qu'elles ne passeront pas le cap de l'an 1700.

Au XVIIᵉ siècle, c'est parfait, il fait plutôt beau, et on peut tailler en compagnie de quelques personnalités très attachantes, comme le compositeur Jean-Baptiste Lully, le peintre Johannes

Vermeer de Delft, bien qu'il soit, comme tous les Hollandais, plutôt porté sur la tulipe, ou le poète dramatique Jean Racine, dont on pense qu'il tirait son nom de sa capacité phénoménale à planter les rosiers par la racine.

Si vous n'avez pas tout à fait terminé au XVIIᵉ, c'est sans gravité, vous pouvez mordre légèrement sur le XVIIIᵉ, à condition toutefois de ne pas dépasser 1715, date de la mort de Louis XIV, qui ouvre l'ère du chrysanthème.

Pour les détails pratiques, consultez l'ouvrage très complet de Paul Cousineau, *Je taille mes rosiers dans la bonne humeur*, tomes 1 à 42, paru dans la collection « Jardinage et bonne humeur ».

J'ai tressailli en parlant de la mort de Louis XIV… Non, j'en suis remis, c'est pas la question, mais ça m'a fait penser que 1957, c'est l'année de la mort de Max Ophuls, le grand cinéaste allemand… qui était né à Sarre-bruck, c'est-à-dire pas très loin de Cologne… 219 km. Alors est-ce que cette biche aurait… se serait… aurait pu… Non.

Une question de Christian de Brie-Comte-Robert : « Professeur, vous arrive-t-il de regret-ter votre jeunesse ? »

Aha… c'est une jolie question ça, Christian…
Du reste, vous ne dites pas votre âge à vous…
Vous savez Christian, Paul Valéry a dit : « C'est
dans le plaisir de l'émotion que la jeunesse
demeure une liberté à surprendre. » C'est très
beau.

Ne cherchez pas, ça n'a aucun sens, Paul
Valéry a dit ça un soir où il était complètement
torché. À la bière. Belge. Mais c'est très beau,
parce qu'il n'y a dans cette phrase que des mots
avec lesquels on ne peut pas ne pas être d'accord.

C'est ça qui est beau.

« C'est dans le plaisir de l'émotion que la
jeunesse demeure une liberté à surprendre. »
(Chiffonant la lettre). Voilà Christian.

Une question de Ludovic, de Grenoble.
Connais pas ! : « Professeur, moi je me sens fier
d'être français, mais j'ose pas le dire parce que je
me fais traiter de réac. Vous en pensez quoi ? »

Oui, si je reformule votre question, vous
vous demandez si la notion d'identité est-en
elle-même réactionnaire. Non, Ludovic, elle ne
l'est pas, même si elle est ces temps-ci le plus
souvent agitée par des gens pour lesquels je
n'ai aucune espèce de sympathie.

Tout être humain a besoin d'une identité, et ça n'est pas un problème à condition qu'il la revendique et pour lui et pour les autres, et non pas contre les autres. Moi je tiens autant à mon identité qu'à celles de tous mes contemporains. Parce que comme je dis toujours : la différence, c'est l'espace du désir. J'ai envie que l'autre soit différent. J'en ai besoin. J'en ai besoin pour pouvoir boire un thé à 17 heures à Piccadilly en parlant interminablement du temps qu'il fait, puis le lendemain savourer un bon bol de lait de yack dans une lamaserie au son du gong, puis le surlendemain si je ne rate pas la correspondance de l'avion, danser toute la nuit comme un forcené au son du tamtam dans un village de brousse en Tanzanie.

Sans son identité, l'humain est déraciné, en état d'apesanteur, il est de partout et de nulle part, il n'est plus citoyen ni même individu, mais simple consommateur, une carte bancaire en fait. C'est moche, hein ?

Méfiez-vous, Ludovic : l'idée ronflante de « citoyen du monde » ou de « village global », est une arnaque.

Ce n'est pas parce que nous utilisons les mêmes téléphones, les mêmes ordinateurs, parlons tous plus ou moins quelques mots d'anglais, mangeons de temps en temps dans des fast-food, enfilons fréquemment un jean et un t-shirt, que nous sommes devenus des êtres partageant d'emblée une même vision du monde, c'est pas vrai...

Tiens, c'est curieux, je m'aperçois que toutes les lettres ont le même format de papier, la même couleur, avec la même police, la même taille de caractères, comme si... comme si elles avaient été écrites par une seule et même personne. C'est cocasse.

Et je m'aperçois aussi qu'il y a plusieurs verres de tequila sur mon bureau. Douze. J'ai dû demander douze fois, ça doit être ça...

Qu'est-ce que je disais ? Ah oui, Ludovic, non le combat pour l'identité n'est pas un combat d'arrière-garde ni d'extrême droite, c'est un combat pour le bien-être et l'équilibre de l'humanité. Et maintenant regardez bien, quel est l'adversaire le plus résolu de cette notion d'identité ? Qui nous a fait gober ce mensonge selon lequel l'identité serait réactionnaire ? Hein ? C'est qui ? Je vous laisse plancher... Je reformule la question : C'est qui ? Hé bien c'est celui qui avait le plus intérêt à le faire.

Et c'est qui ? Je vous laisse plancher. Ben c'est le commerce mondialisé.

Lui il se moque éperdument que nos identités disparaissent, au contraire, ça l'arrange, c'est ce qu'il veut, un grand marché unique, planétaire, une seule masse informe et manipulable à loisir, dont soit exclue la nuance, la différence, la préférence, le détail, en un mot : l'identité.

Ne nous y trompons pas, mes chers amis, le commerce mondialisé et la mondialisation ne nous veulent pas du bien, ils roulent pour eux, pas pour nous, alors gardons-nous d'en être les alliés objectifs.

Poil aux tifs. C'est un hommage à Pierre Dac, mais je ne sais pas s'il est bien placé.

Ah, une question moins technique, elle est d'Yvonne de Brie-Comte-Robert : « Peut-on adapter un lambrescot de 13 mm sur le ségurin d'un Poppler-2X modèle 95 ? »

Oui... une telle opération, chacun le comprend, permettrait d'obtenir du Poppler-2X 95 les performances d'un Charper-4S moyennant une dépense minime, puisqu'on trouve actuellement des lambrescots de 13 aux alentours de 4 € l'unité.

Malheureusement, pour assurer la compatibilité du lambrescot avec le ségurin, il faut disposer d'un jeu de trois bagues auto-dérivantes de 20 à 25 équivalents volumétriques, et ces bagues ne se trouvent qu'en importation japonaise, au prix rédhibitoire de 215 yens. Finalement, on aura dépensé plus en bricolant, plus ou moins bien, le Poppler-2X, qu'en achetant directement un Charper-4S, ou même un 3SP71 modèle d'extérieur, à l'état neuf.

En résumé, on peut... mais c'est complètement con.

Enzo, de Brie-Comte-Robert : « Professeur, hier au bureau, mon chef a dit : "Un grand bravo à monsieur Buffard pour le dossier Sodexpo" alors que c'est moi qui ai géré ce dossier de bout en bout. Que faire ? »

Votre question me touche. Parce que c'est une chose à laquelle je travaille depuis des années, qui est d'établir une échelle de l'injustice, qui soit à l'injustice ce que l'échelle de Richter est aux séismes et l'échelle de Beaufort aux vents. Elle serait bien utile, parce que des tremblements de terre, soyons honnêtes, dans le secteur... on n'en vit pas tous les jours, mais des injustices si, et même plusieurs fois par jour. Alors voilà, j'essaie de concevoir une échelle de l'injustice.

Soit dit en passant, ça ne me déplairait pas que cette échelle porte mon nom, et évidemment c'est immodeste, mais je serais bien content que dans un siècle, quelqu'un dise : « Dis donc mon cousin vient de subir une injustice de niveau 3 sur l'échelle de Rollin », et qu'on lui réponde : « Oh ben y'a pire. »

Bon, ben tiens mes travaux sont là, j'en profite. Alors pour élaborer une échelle, c'est comme pour la température, il faut étalonner, il faut deux repères. 100, c'est l'eau qui bout, 0, c'est l'eau qui se transforme en glace. Sur l'échelle de Celsius, parce que sur celle de Fahrenheit, c'est le grand n'importe quoi !

Dans l'état actuel de mes travaux, je propose de définir l'injustice 0 de la façon suivante : l'arbitre siffle un hors-jeu… et en effet y a hors-jeu. Tout le monde l'a vu. La vidéo le confirme. Injustice 0.

Et puis Injustice 10 : Un honnête homme revient d'une journée passée à la bibliothèque, une journée pénible, il n'a pas bien supporté l'atmosphère confinée et poussiéreuse de la bibliothèque, il n'a pas trouvé ce qu'il cherchait, il a mangé sur le pouce, il est ballonné, il a son lacet qui est défait... Il rentre à la maison et à peine il a franchi la porte, sa femme se rue sur lui et lui hurle en pleine figure : « Espèce de salopard, tu as couché avec ma sœur », alors qu'en vrai, non. Bon ben là : Injustice 10.

À partir de là, je gradue : Je fais la queue depuis vingt minutes à la caisse d'un supermarché, d'un seul coup une caisse se libère à côté et les clients derrière moi s'y précipitent alors qu'ils attendent depuis moins longtemps que moi... Injustice de niveau 4.

Le gars de la sécurité à l'aéroport jette à la poubelle mon tube de dentifrice neuf parce qu'il fait plus de 125 ml alors même qu'il n'a pas l'ombre d'un doute sur la nature réelle du contenu et qu'il ne donne évidemment pas cher de ma capacité à détourner l'avion avec du Fluocaril. Ben il le fout quand même à la poubelle ! Bon, ben injustice 7. Si jamais il le gardait pour lui, ce ne serait pas très honnête, mais ce ne serait pas perdu !, alors que là il le jette à la poubelle avec cette petite lueur perverse dans les yeux qui dit « hé oui il est foutu pour tout le monde, c'est le réglement »... Non, ben 7 et demi. 7 et demi ! Ça nous met juste en dessous du fait de s'appeler John Clafoutis. Qui selon moi est un bon 8.

Je précise que l'échelle de Rollin est une échelle ouverte, c'est-à-dire que pour l'instant on connaît des injustices de niveau 18 ou 19, mais si vous rencontrez une injustice de niveau supérieur, niveau 74 par exemple, l'échelle de Rollin sera là pour l'accueillir.

Voilà. Ah oui, j'allais vous oublier, Enzo.

Alors dans votre cas particulier, attendez, je relis votre courrier. « Bravo à monsieur Buffard... Sodexpo... moi qui l'ai géré. »

Oui donc, j'imagine le bureau... Buffard... le patron, qui entre par la porte à double battant avec les joints en caoutchouc noir qui sont supposés faire de l'isolation phonique mais en fait on entend tout... Le seul truc phonique, c'est que ça fait splotch quand ça bat... Il félicite Buffard, Enzo n'ose pas intervenir, il espère que Buffard va dire la vérité, mais non... Niveau 4.

Non, je relis : « de bout en bout », c'est-à-dire que Buffard n'a même pas mis le nez dans ce dossier… Non ben 5 ! Injustice 5, Enzo. Voilà, ça vous met entre l'ouverture de caisse et le Fluocaril.

Il se met à quatre pattes, en position de biche, et tente de comprendre… En vain.

J'ai bien vu que je perdais mon temps à réfléchir sur deux pieds. Il faut se mettre à la place de la biche, se mettre en position de biche. Là je ne suis pas tout à fait à hauteur de biche, mais bon, en trichant un peu… Parce que la question, je lève mes pattes avant pour vous parler, c'est : « La biche nomme-t-elle le terrain vague ? » Se dit-elle : « Tiens, c'est un terrain vague ? » Non, elle n'a pas de langage articulé, c'est ce qui la rapproche de l'huître. Ce n'est pas le langage qui permet de distinguer la biche de l'huître, c'est la vitesse de pointe. Alors qu'a ressenti la biche ? L'envie de partir « sec » ou bien… C'est pas commode, cette histoire !

Une question de Marie-Lou de Brie-Comte-Robert : « Un jeune journaliste a dit à la téloche que 80 % de la délinquance venait des Noirs et des Arabes. Est-ce vrai ? »

D'abord, Marie-Lou : « La téloche »... non. Dans un mauvais jour, je vous aurais même pas répondu.

Et puis Éric Zemmour n'est pas jeune. Ça fait deux erreurs : je ne réponds pas. Et ça m'arrange pas mal...

Benjamin, de Brie-Comte-Robert : « Professeur, j'ai lu dans le journal que tous les trompettistes adorent la pizza, sauf certains. »

Oui, ça en revanche, c'est vrai !

J'ouvre une parenthèse... Nous sommes tous naturellement soumis à une tentation consistant à réfuter systématiquement tout ce que dit notre adversaire dans la mesure où, puisqu'il est l'adversaire, rien de ce qu'il dit ne peut être valable.

Or je crois que quelque intelligent que nous soyons, ce serait un sacré coup de chance que tous nos adversaires soient complètement crétins, et ne disent que des idioties. Fatalement, inexorablement, il est arrivé ou il arrivera que notre ennemi dise quelque chose de vrai, ou d'intelligent, ou même les deux. Et dans ce cas-là il faudra se garder de la tentation suscitée de le contredire !

Quand mon adversaire, mon ennemi de toujours, dit que l'eau bout à 100 °C, je ne crois ni pertinent ni efficace de lui répondre : « Je peux pas te laisser dire ça… Je m'inscris en faux, on ne peut pas discuter avec toi, tu es d'extrême droite ou quoi ? »

Je vous raconte une petite anecdote, je déjeunais récemment avec mon confrère Antoine Schaups… avec lequel vous le savez j'ai des divergences extrêmement graves, mais on est civilisé ou on ne l'est pas, et vers la fin du repas, Schaups me dit en pointant ma chemise : « T'as une tache, là ! » J'ai regardé, et effectivement. Eh bien, malgré l'envie dévorante que j'avais de le contredire, je lui ai dit : « T'as raison. » Et puis quand il est monté dans le taxi, j'ai confirmé : « T'as raison, Schaups, mais à part ça, on t'a demandé si ta grand-mère faisait du vélo à quatre pattes sur un tonneau ! »

De toute façon, les gens ne se trompent pas systématiquement. Par exemple, un Français sur trois pense que quatre Français sur cinq ne pensent pas exactement comme lui. Or vérification faite, c'est parfaitement la réalité.

J'ai là quatre questions qui se ressemblent un peu :

Jean-Marc de Brie-Comte-Robert : « Professeur, je vis depuis quelques années une histoire d'amour très forte avec une femme formidable, mais qui nous fait du mal à tous les deux. En effet, nous nous disputons tous les jours, parfois très violemment, et souvent à cause de broutilles. C'est le conflit permanent. Nous allons de fâcheries en bouderies, et si les moments d'accalmie sont merveilleux, tout cela ressemble davantage à la guerre qu'à l'amour. Pourtant nous nous aimons, nous sommes sûrs de cela, mais nous ne parvenons pas à apaiser cette relation tumultueuse. Cette situation me détruit, Professeur, je suis dans l'impasse, incapable de prendre de la distance avec cette femme, mais je ne peux pas me passer d'elle. »

Et voyez : il est tellement mal, il n'a même plus pensé à poser une question.

Stéphanie de Brie-Comte-Robert : « Cher Professeur, mon ex hante encore mes rêves, six ans après notre séparation. Le réveil qui les suit est chaque fois un véritable cauchemar, baigné de larmes. Au secours Professeur. »

Lucas, de Brie-Comte-Robert : « Cher Professeur, je m'adresse à vous en dernier recours, aucun de mes amis n'ayant pu me venir en aide. Cet été, en vacances au camping de Saint-Florent – idéalement situé, à quelques mètres de la plage, bonne connexion wifi, snack et épicerie – (*Gällerdekken*, donc), j'ai fait la rencontre d'une jeune femme. Il était 21 heures, et nous étions tous les deux aux sanitaires (mixtes et très corrects, même en haute saison), moi pour me laver les mains, elle pour se laver les pieds. Nous avons banalement échangé quelques mots. Sur le climat d'abord, étonnamment frais pour la saison, puis sur la bonne tenue de ce camping, et sa situation idéale à quelques mètres de la plage, sur la bonne portée de son signal wifi, sur la commodité du snack et de l'épicerie. Rien que de très ordinaire, vous en conviendrez. Et pourtant Professeur, depuis ce soir-là, une envie me tient chevillée au corps, le jour comme la nuit : partir à sa recherche et la retrouver, fût-ce au fin fond du Puy-de-Dôme ou de la forêt noire. Professeur, suis-je fou ? Une minute de conversation peut-elle raisonnablement suffire à inspirer tant d'amour ? Vous trouverez au dos de cette lettre l'adresse et les coordonnés téléphoniques du camping Les Mimosas de Saint-Florent, convivial, calme et ombragé (animaux acceptés). »

Et puis une question qui synthétise en somme les trois précédentes, Marceline, de Brie-Comte-Robert : « Professeur, pourquoi l'amour ça prend tant de place ? »

Oui. Pourquoi l'amour ça prend autant la tête ? La tête et le cœur.

Pourquoi sommes-nous capables de tout investir, de tout abandonner, de tout compromettre et de tout gâcher, pour cette utopie délirante qu'on nomme le « grand amour ».

C'est que nous sommes tous encore conditionnés par les puissantes mythologies romantiques échafaudées par une poignée de poètes géniaux à la fin du XIXe siècle. Nous voulons connaître le « grand amour », pour ressentir à notre tour les souffrances du jeune Werther, les tourments de Fabrice del Dongo ou les atermoiements douloureux d'Emma Bovary, dont nous ne serons pourtant le plus souvent que les très pâles imitations.

Comment pouvons-nous passer des nuits entières à nous manger le foie et à manger celui de nos amis pour des problèmes aussi essentiels que « pourquoi à mon texto qui lui disait "Je t'aime" elle a simplement répondu "Moi aussi". Et pas "Moi aussi je t'aime", ou "Je t'aime moi aussi". Non là, simplement moi aussi, même pas un émoticône, même pas un cœur… Ça sent le roussi cette affaire… ».

En effet, ce n'est pas normal. Ce n'est pas normal de courir comme ça derrière cette chimère qui n'aboutit nulle part dans l'espace du réel. Ce serait bien moins absurde, et bien plus raisonnable de consacrer toute son énergie à supporter un club de handball de ligue 2. Là au moins y a du concret, y a des résultats.

On aurait meilleur temps comme disent les Suisses de construire une bonne vieille amitié amoureuse, ça a moins de gueule, d'accord, mais c'est plus sensé, que de se faire teindre en blonde si tu me le demandais, d'aller décrocher la lune pour l'amour de toi, de traverser le Pacifique à la rame au péril de sa vie, de vider son compte en banque ou d'escalader l'Everest en tongs, tout ça pour l'affirmation solennelle de son amour par un autre qui n'a pourtant au bout du compte que l'importance et le poids qu'on a décidé de lui donner dans un délire romanesque épouvantablement convenu. Et je laisse la conclusion au génial Marcel Proust qui a dit : « On serait guéri à tout jamais du romanesque si on voulait bien pour penser à celle qu'on aime, tâcher d'être celui qu'on sera quand on ne l'aimera plus. » Et ça marche aussi pour les femmes : « On serait guéri à tout jamais du romanesque si on voulait bien, pour penser à celui qu'on aime, tâcher d'être celle qu'on sera quand on ne l'aimera plus. »

Et vous voyez, comme quoi rien n'est simple. J'ai le sentiment que malgré toute notre volonté, tout notre acharnement, toute notre énergie, nous n'avons pas avancé d'un pouce sur cette affaire de la biche de Cologne. J'ai même le sentiment confus que le mystère s'est épaissi plus qu'il ne s'est dissipé.

J'ai bien peur qu'on soit obligés de passer à la vitesse supérieure.

Je crains qu'il faille employer les grands moyens.

Alors qu'est-ce qui nous reste là-dedans ?

Nicéphore, de Brie-Comte-Robert... (Tiens c'est bizarre ça, comme nom... Brie-Comte-Robert) : « Peut-on rire de tout ? »

Je pourrais vous répondre avec ce mot de mon confrère, l'éminent professeur Benoit Delépine qui à la question : « Peut-on rire de tout ? » a répondu : « On ne peut rire QUE de tout ! »

Bien sûr, on peut rire de tout, puisqu'on ne rit pas tous ni de la même chose ni de la même façon. Par exemple, j'ai des amis qui ont eu un bébé il y a trois semaines, ils l'ont prénommé Didier. Évidemment, c'est très fâcheux pour l'avenir du gosse, mais question rigolade, il faut reconnaître que ça envoie le bois.

Justement, Didier, de Brie-Comte-Robert : « Professeur, de quand date le passage du Paf au Bim ? »

J'ai déjà répondu des centaines de fois à cette question. Je rappelle les données du problème : pendant des siècles, celui qui venait d'avoir le dernier mot disait : « Et paf », et puis depuis un certain nombre d'années, celui qui a le dernier mot dit : « Et Bim ».

Mais, je le répète, malgré des recherches têtues, je ne suis pas en mesure de vous donner la date exacte du virage. Alors arrêtez de me poser la question, parce que je vais finir par me fâcher, je vais vous donner une date au pif, à cinq ou dix ans près et ce sera la honte pour tout le monde. Et BIM.

Rodolphe, de Brie-Comte-Robert : « Professeur, qu'appelle-t-on l'inégalité climatique ? »
C'est le fait que tous les êtres vivants sur le globe ne sont pas logés à la même enseigne et qu'ils sont tributaires du climat dans lequel ils vivent. Par exemple, dans les régions venteuses, une girafe peut très bien ne pas se rendre compte qu'elle pue des pieds. Et ne rien faire par conséquent pour y remédier. Et donc se faire détester du groupe. Et donc mourir seule. C'est ça, Rodolphe, l'inégalité climatique.

Laurent, de Brie-Comte-Robert : « Professeur, quel rapport y a-t-il entre un voyage de noces et la gelée de groseille ? »
...
Ça ne m'intéresse pas, je n'ai pas envie de jouer !

Karine et Bruce, de Brie-Comte-Robert :
« Le divorce est-il un péché ? »

Ça, j'en sais rien, c'est pas mon rayon, en revanche, je pense que pour faire moins de peine aux enfants, les parents devraient divorcer un par un.

Robert, de Brie-Comte lui-même : « Professeur, ses fables auraient-elles autant de succès si Jean de la Fontaine s'était appelé Jean de la Pissotière ? »

Pas sûr...

Une question de Brie-Comte-Robert, de je sais pas où : « Professeur, la biodiversité ? »

Ah oui, oui je comprends votre question. La biodiversité, les espèces menacées, tout ça... Gros dossier. Bon, ben pardon de parler un peu cru, mais les espèces menacées, faut qu'elles se bougent un peu le cul ! On nous dit que le koala ne mange que de l'eucalyptus... pour l'instant ! Mais vous verrez qu'à la veille de disparaître, il ne fera pas la fine bouche devant un pot de rillettes.

Question du conte de Brie, de Brie : « Professeur, la tolérance ? »

Il faut accepter que toutes les opinions sont dans la nature. Par exemple, certains individus ne croient pas que la Terre est ronde et qu'elle tourne ; ils pensent que la Terre a la forme d'une langouste et qu'elle vibre. Hé ben ça sert à rien de les taper.

William, de Brie-Comte-Robert : « Pourquoi les gens qui s'aiment sont-ils toujours un peu les mêmes ? »

Non... désolé, je n'ai jamais remarqué ça. Et BIM.

Une question de Tatiana, de Brie-Comte-Robert : « Chaque fois que je dis mon prénom, les gens pensent que je travaille dans le cinéma porno... »

Oui, ça m'étonne pas...

Pierre-Olivier de Brie Comte-Robert : « Professeur, pourquoi y a-t-il si rarement moyen de moyenner ? »

Oh quel dommage, j'ai cru qu'on échapperait aux questions stupides, et non. Question stupide, Pierre-Olivier, puisque, au contraire, il y a presque toujours moyen de moyenner. Et BIM.

Anita, de Brie-Comte-Robert : « Professeur, voulez-vous m'épouser ? »

Ben non. Je suis déjà marié. Et Paf.

Bon et alors là y a ça… C'est un CD. Y a un CD. On a l'appareillage électromagnétique ? pour… Y a rien d'écrit, pas de nom, pas d'adresse, même pas sûr que ça vienne de Brie-Comte-Robert. Je ne sais pas ce que c'est, on peut écouter ? Je serais curieux d'entendre ce qu'il y a dessus parce que c'est peut-être une personne qui ne sait pas écrire et qui a enregistré sa question, ou quelqu'un qui n'a pas de bras.

Au son de la Garde républicaine, *le Professeur fait le ménage puis sort en larmes au pas cadencé.*

FIN

*Cet ouvrage a été composé
par PCA à Rezé (Loire-Atlantique)
et achevé d'imprimer en France
par CPI Bussière
à Saint-Amand-Montrond (Cher)
pour le compte des Éditions Stock
31, rue de Fleurus, 75006 Paris
en avril 2015*

Imprimé en France

Dépôt légal : mai 2015
N° d'édition : 01 – N° d'impression : 2015618
89-02-5109/3